小学生作文精品园

好词·好句·好段

黎　明　主编

新疆青少年出版社

小学生作文精品园
小学生好词好句好段
黎　明　主编
新疆青少年出版社出版
(乌鲁木齐市胜利路 100 号　邮编：830001)
新华书店发行　武汉峰迪印务有限责任公司印刷
850×1168 毫米　32 开　10 印张　200 千字
2001 年 7 月第 1 版　2001 年 7 月第 1 次印刷
印数：1－5000
ISBN7－5371－3908－3/G·1815
每册定价：12．00 元　全套定价：120．00 元
如有印装问题请直接同承印厂调换

前　言

众所周知，要想提高小学生的作文水平，关键是培养小学生正确使用语言文字的表达方式。为使同学们能够准确、生动地遣词造句、写段作文，我们组织有关专家、学者、教育工作者，在浩如烟海的小学生优秀习作中，经过长时间地披沙拣金，去粗取精，终于编写出这本《小学生好词好句好段》，以飨广大小学生读者。

《小学生好词好句好段》一书的编辑思路，着眼于九年义务教育教学大纲与现行小学最新教材，取材于现行各种版本的教参教辅及在校学生优秀习作中的好词、好句、好段，汇编成集。该书较为贴近在校学生作文实际水平，对提高学生作文文字表达能力有一定参考价值。

《小学生好词好句好段》按照写人、记事、描景、状物分门别类进行编排，在每个类别中，又分为精美词语、常用成语、精采句子、华彩语段。全书所选词汇丰富，句子贴切、恰当，段落简洁、精练。

《小学生好词好句好段》一书，如能认真阅读，灵活运用，对开阔视野，丰富知识，启迪智慧很有稗益。如能结合自己的生活实际，举一反三，多写多练，在实际生活中提高自己的观察分析能力，逐步掌握好语言文字的表达能力与技巧，便能写出思想健康内容丰富、词句生动的好文章。

《小学生好词好句好段》如果能够成为广大中小学生写好作文的得力帮手，那么我们将感到无限的欣慰。

编　者

目　录

写 人 篇

记 事 篇

写 景 篇

状 物 篇

写人篇

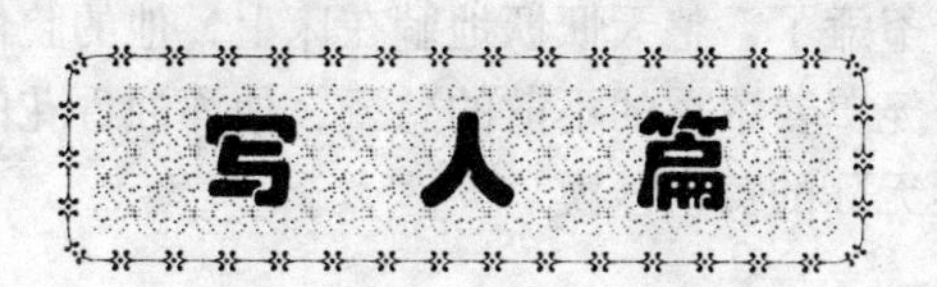

一、外貌描写

1．脸

◇精美词语

面庞　脸庞　脸颊　脸膛　脸面　脸蛋　圆脸　长脸
方脸　白脸　红脸　黑脸　白净　红润　苍白　灰白
清瘦　憔悴　俏丽　端庄　秀丽　文静　英俊　严峻
动人　妩媚　可爱　可亲　慈祥　瘦削　羞红　美貌

鹅蛋脸　苹果脸　瓜子脸　桃花脸　娃娃脸　大花脸
红扑扑　胖乎乎　粉嘟嘟　黑黝黝

◇常用成语

白净柔嫩　白白净净　白里透红　春风满面　神采飞扬
满面春风　满面红光　神采奕奕　容光焕发　喜笑颜开
和颜悦色　喜形于色　面黄肌瘦　面容憔悴　面如土色
脸色苍白　脸色铁青　脸色惨白　愁云满面　面无血色

◇绝妙句子

✽爷爷瘫了，整天恹恹地躺在床上，他的脸像是迟暮的黄昏，笼罩着浓重的不散的愁云，他浑浊昏花的老眼里一片茫然无际的黄色沙漠。

✽令人惊讶的是，四个陌生人长得都是同样的脸膛，真像同一家工厂的同一类产品：黑黑的眼窝前面都戴着一副墨镜，薄薄的嘴唇都叼着烟卷，头上的帽沿一律垂下来，上衣的颜色完全一样。

✽老人们古铜色的脸，轮廓分明，忽地被镀上一层亮的金色来，连花白的胡子也变成金的了，他们笑吟吟地捋着，不住地颔首西望，仿佛那里是他们美丽的家园。

✽他转过身来，我看到一张清癯的面庞，上面刀刻一样的皱纹像条理分明的叶脉，向人们显示着他饱经沧桑的阅历，一双明亮的眼睛闪着慈祥的光，显得格外亲切。

✽她笑了，圆圆的脸庞就像一盘盛开的金葵花。

✽我特别爱看妈妈的脸，乌黑发亮的秀发下一张端庄秀丽的脸，脸色泛着红润。

✽小妹妹的脸像苹果一样又红又圆。

✽她的脸蛋鼓鼓的、红红的，就像刚刚开放的桃花。

✽不大会儿她又破涕为笑了，红扑扑的脸蛋上还挂着两滴泪珠，格外逗人。

✽离我不远的花园边上，蹲着一个老农民，他那饱经风霜的脸布满了深深的皱纹。

✽我有一个表弟，还不到十岁，长得虎头虎脑，脸蛋又胖又圆，两只大眼睛又圆又亮。

✽伯伯原先的红脸膛变得灰白，一点血色也没有，憔悴得很难看。

◇华彩语段

✽看着老师的笑脸，我心里甜滋滋的，像喝了蜜糖水似的，就像一首诗说的那样：

“老师的微笑，像灿烂的阳光，照在小朋友的脸上，暖在小朋友的心房。老师的微笑，像鲜花般芬芳，我们在学校里读书，就像在花园里一样。”

✽我和纯纯相处一共四年，她给我的印象是很难忘的。一张圆脸庞，一双明亮的大眼睛，总爱一眨一眨地，闪耀着欢乐温和的光，那小巧玲珑的鼻子，微微向上翘着，一张不大不小的嘴，长在圆圆的小脸上，说起话来有条有理，使人心悦诚服。

✽她长得很纤弱。脸是鹅蛋形的，加上一双明净的眼睛，眼睛上面是弓形的，像是画上去的眉毛。一个小巧笔直的鼻子，一个圆圆的、像生气似的嘟着的小嘴。她的气色不太好，总是有些苍白。

✼站在穿衣镜前，我看见了镜子里面的我：个子不高，齐耳短发乌黑发亮。圆圆的小脸蛋，红苹果似的，正甜甜地微笑着，略张的嘴内露出几颗不整齐的小白牙。

✼他是太苍老了，他的脸是瘦削的、黑黄色的，那眼角和嘴角布满了零乱的皱纹，像一块老柏树皮；他凸出的前额上刻着几条深深的皱纹，好像是被鞭子抽打出来的，他的眼睛是细小的，微黄色，他的背佝偻着，向火塘伸去枯枝似的手……

✼想到这些，一个熟悉的形象浮现在我的眼前：矮小的身材，瘦瘦的个子，背有些驼，但很结实，满是皱纹的脸上，长着花白的胡须，眼睛不大，但很有神，脸上总带有微笑。他，就是何川老人，我们称他为“船爷爷”。

2. 眼 睛

◇精美词语

眼眶　眼睑　眼梢　眼珠　眼窝　眼角　眼色　眼泪
眼神　眼光　眼力　目光　泪眼　睡眼　斜眼　慧眼
白眼　秋波　秋水　明亮　温柔　机灵　失望　慈祥
敏锐　发呆　呆滞　坚定　注视　凝视　眺望　赞许
严峻　狡诈　专注　深邃　希冀　混浊　关切

水灵灵　水汪汪　亮晶晶　圆溜溜　骨碌碌　直勾勾
丹凤眼　杏儿眼　老花眼　三角眼　水泡眼　细眯眼

◇常用成语

目光明亮　目不斜视　目光炯炯　目光如豆　目光呆滞
目瞪口呆　目不转睛　目光严厉　目光散乱　目光慈祥
目光灼人　目光敏锐　目不暇接　目光四射　含情脉脉
贼眉贼眼　炯炯有神　浓眉大眼　神采焕发　老眼昏花
贼眉鼠眼　左顾右盼

◇绝妙句子

✽爷爷的眼睛有人怕，也有人爱。过去，我看见爷爷的眼睛，有时也怕，有时也爱，但现在我是爱得多，怕得少了。

✽哦，是她？那双眼睛——黑黑的瞳仁亮晶晶的，睫毛又黑又长，有一种女孩子的灵秀，瘦小的身躯，穿着一身已经很旧的蓝色运动衣，裤腿儿挽得老高，裸露出的小腿冻得通红。

✽荣荣今年四岁，脸蛋红扑扑的，一对黑亮的眼睛像是两颗黑宝石。

✽小海燕说起话来，两个眼珠一闪一闪的，好像一对明亮而美丽的珍珠在闪耀。

✽她的眼最好看，很深的双眼皮，一对又亮又黑的眼珠，眼珠转到眶中的任何部分都显得灵动俏丽。

✻修长的眉毛下，闪动着一双水晶般明亮而又纯洁的大眼睛。

✻那张小圆脸上，一双大眼睛像两汪泉水，充满着天真与稚气，也饱含着淘气、顽皮。

✻国字形的脸上，一双淡而短的眉下有一对笑得眯成了一条线的眼睛。

✻他蓬乱的头发，凹陷的眼睛，苍白而瘦弱的脸，手背上那五条手骨的印子清晰可见，看上去干瘪得很，就好似骨头外面只包了一层皮。

✻哥哥的两道浓眉下衬着一双大眼睛，瞪起眼看人就像小老虎。

✻眼睛是心灵的窗户，从我面前这一双不大但很明亮的眼睛里，显露出了他的与众不同。

◇华彩语段

✻她的眼睛几乎要合成一条缝了，口里微微地喘气，一手牢牢地把住门边，摩挲着老眼，目不转睛地凝望，好似在期待着什么。

✻忽然，“马尾辫”的目光触到了什么，又赶紧避开，满脸的神色惆怅。茫然中，她果断地向同伴吐出两个字：“降旗!”“什么?”女伴瞪大双眼，喜笑劲儿全没了，“你

苦头还没吃够吗?”一双责怪却带着关切的眼，直盯着“马尾辫”，盯得她浑身不是滋味。

✽她那双美丽的大眼睛好像会说话似的，简直可以代替嘴。当你做了不应该做的事时，她就会用生气的眼神盯你好一会儿，直到你低下头来承认错误为止；当你做了令她高兴的好事时，她便用含笑的眼睛足足看你二分钟，好像是在欣赏一件什么宝贝似的。这时候呀，你也会羞得低下头来。

✽第二节数学课一开始，我悄悄地注意起聂老师的眼睛来。这双眼睛是有特殊的地方：亮，特别明亮。那一对水汪汪的瞳仁骨碌碌地转，像闪光的露珠在绿荷上晃，又像晶莹的珍珠在玉盘中溜。当聂老师的目光转过来，跟我的目光相碰时，我赶紧低下头来，真的，那目光已经照到心底里去了。老师的眼睛是有特异功能的啊！我忽然间来了点灵感，我想起了电影里的探照灯，想起了童话里的宝镜。

✽有一次，朱老师在大礼堂给我们上《乌鸦喝水》这课，请三百多位老师听课呢！朱老师提问：“乌鸦为什么能喝到水?”我马上把手举得高高的，朱老师要我回答，我站了起来，看到这么多的老师，心里很慌，那颗心啊，怦怦地直跳，回答的声音很轻，朱老师的眼睛马上向我投来鼓励的目光，似乎在说：“对，对，声音再响点儿!”我看着朱老师的眼睛，胆子放大了，声音也响亮起来，这时，朱老师的眼睛又向我投来赞许的眼光，好像在说：“讲得真好！讲得真好!”

✽李云是一个机灵、淘气的同学。他胖乎乎的脸蛋上，长着一对调皮的大眼睛，眼珠子忽闪忽闪的，好像两颗水灵发亮的黑宝石，只要他一眨巴眼，准出鬼点子。

✽那双眼睛，如秋水，如寒星，如宝珠，如白水银里养着两丸黑水银，左右一顾一看，连那坐在远远墙角子里的人，都觉得王小玉看见我了；那坐得近的，更不必说。就这一眼，满园子里便鸦雀无声，比皇帝出来还要静得多呢，连一根针掉在地下都听得见响。

3. 眉

◇精美词语

细眉　粗眉　浓眉　淡眉　剑眉　柳眉　弯眉　横眉
眉头　眉心　眉宇　眉梢　眉棱

◇常用成语

眉头一皱　扬眉吐气　挤眉弄眼　横眉冷对　贼眉鼠眼
愁眉紧锁　剑眉倒竖　长眉细眼　粗眉大眼　银眉鹤发
愁眉不展　直眉愣眼　柳眉微蹙　俊眉俊眼　眉宇宽阔
眉如新月　眉目传情　眉开眼笑　眉飞色舞　眉清目秀

◇绝妙句子

✽她的眼睛晶亮，眉毛像一对优美的弯弓。

✲果园里，摘果子的叔叔阿姨们的眉毛都笑成了一弯新月。

✲朱莹莹的脸蛋红扑扑的，乌黑的头发下，两条弯弯的细眉毛，像那月牙儿。

✲他的眉毛很有特点，又细又长，就像夏天随风摇曳的柳叶。

◇华彩语段

✲不过，最引人注目的还是她的眉毛。不管生活的担子有多重，那对眉毛总是像月牙儿一样乐观地弯着。她，就是我勤快的妈妈。

✲沙僧站在唐僧前面的一块大岩石上。你看他，头戴一顶二叉三束行僧帽，两道眉毛，真像是用笔蘸足了最浓的墨汁画上去的，又粗又黑。

4. 鼻　子

◇精美词语

塌鼻　高鼻　鼻头　鼻梁　鼻翼　鼻尖　挺直　小巧

狮子鼻　鹰钩鼻　蒜头鼻　朝天鼻　塌鼻梁　高鼻梁

◇常用成语

鼻子平塌　鼻翼微鼓　鼻直口方　鼻尖沁汗　端庄秀丽
鼻梁挺直　鼻青脸肿　鼻涕流淌　鼻梁高耸　鼻孔朝天
细巧挺秀　端正阔大

◇绝妙句子

✻两只眼睛中间挂着一个孤零零的小而红的朝天鼻。

✻那塌鼻子几乎贴到他的扁平脸上，让人想起坦荡的平原。

✻白嫩而红润的小脸上镶着一个挺直、秀美的小鼻子。

✻微微翘起的小鼻子，使她显得又稚气，又逗人。

✻爸爸坐在灯前，白墙上映着他的侧影，那高而直的鼻影特别清晰。

✻我一双水灵灵的大眼睛很惹人喜爱，就是有一点美中不足：鼻子有点塌。

◇华彩语段

✻其中有个较大的男孩，把两个小煤球嵌在雪人脸上，算作眼珠，把胡萝卜在眼睛下面当鼻子；鼻子下面，安上半块红砖，算是雪人的嘴，接着，另一些较小的男

孩，七手八脚地在雪人的胸前涂上一排稀泥块，算作纽扣。一个不坏的雪人堆成了，它翘着高高的鼻子，挺胸凸肚，像个傲慢的将军。

✽桑丘第一眼就看见了林中侍从的鼻子。那鼻子之大，衬得全身都小了。……鼻梁是提起的，鼻上全是疙瘩，颜色青紫，像茄子一样……

✽“我很高兴”，库克新夫人说。两只圆圆的眼睛注视着巴扎洛夫，两只眼睛中间挂着一个孤零零的小而发红的朝天鼻。说实在的，她根本称不上美丽。她的鼻子生得太小，鼻尖向里勾，鼻梁自然也不宽，上面还生着一些雀斑。

✽爸爸大高个儿，淡黄的卷发，白白净净的方脸上嵌着一双充满智慧的眼睛，高高的鼻梁下，一双鼻孔显得特别大。小时候，我常常望着他的鼻孔发问：“爸爸，您的鼻孔为什么这么大？”他总是笑着回答：“选马就要选鼻孔大的马，因为大鼻孔的马跑得快。爸爸小时候在学校就是短跑冠军，不信你问妈妈。”这时，我和妈妈就会望着他的鼻孔哈哈大笑起来。

5. 嘴

◇精美词语

尖嘴　圆嘴　歪嘴　张嘴　闭嘴　裂嘴　呶嘴　抿嘴
嘴巴　嘴唇　嘴角　嘴边　大嘴　小嘴　方嘴　扁嘴
撇嘴　笨嘴　快嘴　利嘴　巧嘴　甜嘴　干裂　红润
苍白　鲜嫩

◇常用成语

铁嘴钢牙　多嘴多舌　巧嘴滑舌　嘟嘴鼓腮　油嘴滑舌
唇无血色　唇枪舌剑　唇似绽桃　笨嘴拙舌　尖嘴猴腮
口干舌燥　嘴唇干裂　嘴角上扬　嘴角下撇　嘴小唇薄
红嘴白牙　巧舌如簧　张口结舌　口若悬河　口如樱桃
嘴唇发紫　嘴若含丹　棱角分明

◇绝妙句子

✽秀秀合着小嘴一点都不笑，那嘴红红的，好像一颗美丽的樱桃。她生气的时候，上唇中间那部分尖尖的，像鸟雀的嘴。

✽嘴唇极薄，透着机敏和灵气。

✽嘴角边绽出两个小酒窝，花一样美。

✽她只好张着嘴，不停地呵着气，红润的嘴唇变得又

紫又青，牙齿咯咯地响。

✽她的嘴唇依然如孩童般鲜嫩，红润。

✽嘴巴一会儿鼓一会儿瘪，有节奏地吹着气。

✽那张笑着的嘴张得格外大，一边流着口水，仿佛要把手里拎着的一只白条鸡一下子吞下去。

◇华彩语段

✽那张小嘴巴蕴藏着她丰富的表情：高兴时，撇撇嘴，扮个鬼脸；生气时，噘起的小嘴能挂住一个小油壶。从这张嘴巴说出的话，有时能气得别人火冒三丈，抽泣不止，有时却让人忍俊不禁，大笑不已……

✽上课时，轮到他发言，这就意味着一场大笑即将发生。他站了起来，头微微向上仰，脸涨得通红，厚厚的嘴唇在颤动，竟吐不出半个字，真可谓有话难言啊！好不容易从嘴中迸出几个字，却又忽然中断，头一下子胀大了许多，随即带出一个发颤的、走了调的声音，"轰"的一声，教室里笑的声浪压倒了一切，笑声冲出了教室，冲向云层。他头往下一低，脸紫得怕人，抿着厚厚的嘴唇，带着一丝痛苦的微笑。他的这一丝苦笑，像影片一样，在我的脑海里一遍又一遍地重演。

✽在老妈妈的左边有一位秀丽端庄的少女，斜倚在椅子上。她一头美丽的金发，一条大辫子一直拖到背部。一条黑裙更衬托出她白净柔美的脸庞，秀美的嘴唇微微张着，嘴角略向下撇，流露出忧虑的神情。

✽我想变成一个“笑不露齿”的文静姑娘，可是粗野一下子难变文静……我对着镜子研究起来：微笑时嘴唇上弯的程度让它只能露出上排牙齿中的两颗半，这样看起来很文静。可我真的笑起来，嘴巴又大又歪，常常伴随着难听的怪声，咳，我这个粗野、爱笑的疯丫头什么时候才能文静起来呢?

6. 牙 齿

◇精美词语

尖牙　门牙　虎牙　犬牙　板牙　皓齿　洁净　洁白
雪白　焦黄　灰黑　整齐　整洁　稀疏

◇常用成语

乳牙初长　咬紧牙关　牙关紧闭　参差不齐　光洁闪亮
咬牙切齿　龇牙咧嘴　伶牙俐齿　笑不露齿　犬牙交错
齿如白瓷　齿如排玉　齿白唇红　齿冷舌麻

◇绝妙句子

✽两片薄薄的嘴唇始终是红红的，一笑就露出那整齐洁白的牙齿来。

✽她的美丽的嘴唇变了形，她那洁白的牙齿也暗淡了，一副咬牙切齿的样子，怪令人厌恶的。

✽奶奶爱笑，一笑就合不拢嘴，这时，你可以看见她嘴里只剩下几个“卫兵”——门牙。

✽特别是那门牙像两位“将军”把门一样，挤得旁边的两颗牙齿像两位“小兵”，歪歪斜斜的，只好往侧里长。

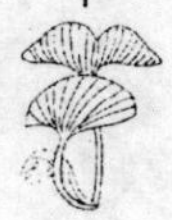

✽她的牙齿还没有长成，尖端上现出十分可爱的小锯齿。

✽那姑娘一笑，露出一口白牙来，光洁闪亮。

◇华彩语段

✽这个女孩子走到我身边，咧开嘴对我笑了笑；我看到她齿如白瓷。在她的两片又薄又紧的嘴唇中间，牙齿在闪闪发亮。

✽他的唇噘起，又薄又软，像小孩子的嘴唇那样，露出一口白得可怕的牙齿。这些牙齿在他过去说话或大笑的时候，是谁都没有见到过的。这时他露出一个小孩似的笑容，好像这个小孩正躲在黑暗里，在等待别人找到他。

✽老人平握着老式长管烟袋，嘴角一张一合的，那稀疏又不整齐的牙齿特别显眼，牙齿上附着黄黑色的牙垢，大概是多年吸烟的结果吧。

✽她嘴一张开，下牙床那两颗又尖又白的小牙便露出来，那位置与嘴角两边几乎相等，配上那微微上翘的嘴角，更显童年的稚气和天真。

7. 头 发

◇精美词语

整齐 凌乱 蓬松 脏乱 细柔 粗硬 竖直 卷曲
云鬓 刘海 辫子 发辫 秃顶 谢顶 乌黑 乌亮
黑发 白发 秀发 长发 短发 稀发 浓发 卷发
烫发 疏发 金发 青丝 乌丝 银丝 发髻

披肩发 卷毛发 学生发 羊角辫 小辫子 长辫子
短辫子 刘海儿 刺猬头

◇常用成语

秀发柔美 乌黑油亮 云鬓高耸 堆云砌墨 浓密柔润
发不遮顶 发如乱麻 发型新颖 鹤发童颜 须发如银
红颜银须 蓬松自然 长发披肩 披头散发 长辫垂胸
满头乌发 满头银发 满头青丝 白发苍苍 白发斑斑

◇绝妙句子

✽上课了，甄老师摘下帽子，拘禁了没几分钟的头发，像受到大赦似的立即向四面八方翘起来，但也不是“爆炸式”的，是什么发式，恐怕他自己也说不清楚。

✽她那条“羊尾巴”似的小辫子，在脑后摆来摆去的。

✿她一跳起来，扎着蝴蝶结的两条羊角辫子就一上一下地摆动着，真像两只蝴蝶一样。

✿画中的妈妈，头发卷着，像个核桃仁。

✿他的头发又稀又黄，蓬蓬松松的像个乱草窝。

✿他大脑袋上的头发毛楂楂的，像团起来的刺猬。

✿金色的卷曲的长发，自然地披散在肩上。

✿她的波浪秀发在不停地摇曳着，好美。

✿两根粗辫子傍着圆圆的面孔，就像两条黑蛇盘着一个菠萝。

✿我的同学李萌，梳着一条大辫子，黑亮黑亮的，浓浓的眉毛下嵌着一双乌黑发亮的大眼睛，看起来蛮漂亮的。

◇华彩语段

✿在明亮的灯光下，我忽然发现，粉笔灰已染白了老师的头发，老师那装满智慧的额上，也被岁月碾出了条条沟沟……

✿父亲那年才四十，但额上五线谱似的皱纹，已记载着他全部的辛苦，他的头发已经变得花白，每一根白发，都记载着他的辛劳和坎坷。

✽这时，只见老管理员陈爷爷坐在他那把磨得发亮的椅子上，聚精会神地检查着图书。他的头发很稀，多半已经白了，但都很规矩地伏在那有些秃顶的脑袋上。他的鼻梁上架着一副深边的老花镜，淡淡的眉毛紧紧地拧在一起。

✽他摘下帽子，拍打着身上的积雪，我才注意到他头上仅剩稀疏的头发了，夸张一点说是一个秃顶。此人浑身上下给人一种精明、干练的感觉。认识他的人喊："老孙，汽车要来了吗?"我向别人一打听，原来他就是这个站的站长。

✽安德烈偷偷地斜眼看了看她那束着有光泽的黑色发结的骄傲的头发。她的头发很浓密，而且好像马的鬃毛一样的粗硬，却带着小孩子一样的骚乱的柔美，卷曲的绕着她的小小的耳朵。

✽这是一头乌亮浓厚的美发，像黑色的瀑布从头顶倾泻而下，它不柔软，妩媚，但健美，洒脱，有一种朴素而自然的魅力。

8. 手

◇精美词语

食指　中指　小指　细嫩　修长　白净　白嫩　丰腴

手掌　手指　手心　手背　手腕　手臂　巴掌　拇指
厚实　纤细　枯瘦　灵巧　笨拙　麻木　颤抖　温暖

热乎乎　胖乎乎　湿淋淋　凉冰冰　黑糊糊　手如玉笋

◇常用成语

手如枯枝　双手抱膝　挥手告别　挽手同行　搓手呵气
手似铁钳　手如鸡爪　手脚灵便　手快眼明　手背厚实
握手言欢　粗手笨脚　挥手致意　招手示意

◇绝妙句子

✲手背粗糙得像老松树皮，裂开了一道道口子，手掌上磨出了厚厚的老茧。

✲小朋友边唱着儿歌，边击拍着手，那是一双双白白嫩嫩的纤柔的小手。

✲他的手，有小蒲扇那么大，每一根指头都粗得好像弯不过来了，皮肤皱巴巴的，有点儿像树皮。

✲他的手跟铁耙一样，什么棘针都刺不破它！

✲妈妈的手，春天般温暖，夏天般热烈，秋天般丰硕，冬天般纯洁。

✲他的右手厚实、宽大，很自然地伸到衣襟下面，汗津津的手掌轻轻地握着腰间的小手枪。

✻那双手显然不如已往那么灵活有力了，但它依然那么宽，那么厚。握着那双手，感觉那么温暖，那么亲切。

✻奶奶的手像锉一样，她用力地为我洗头。

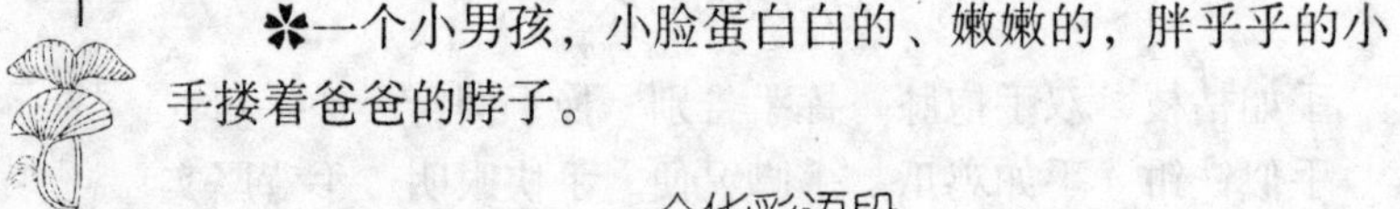

✻一个小男孩，小脸蛋白白的、嫩嫩的，胖乎乎的小手搂着爸爸的脖子。

◇华彩语段

✻爸爸的手可不像当老师的手，看上去粗粗拉拉的。妈妈上班离家太远，家里的许多活都要爸爸干，像生火、做饭、洗衣等等，他的手中怎么能不粗粗拉拉的呢？

✻我的外婆年已七旬，一头短发像罩上一层白霜，一双大眼睛已经深深陷进眼窝，嘴里的牙几乎全脱落了，一双粗糙瘦削的手上爬满了一条条蝗蚓似的血管，血管又青又白。那饱经风霜的脸上皱纹纵横交错，刻记着七十年来的千辛万苦。但她仍然精神矍铄，满脸红光。

✻妈妈不会打扮，不会跳舞，可她有一双巧手。妈妈的手灵巧、灵活，那白净、细柔的手指更显眼。妈妈织起毛衣来，那手指灵活得穿梭一般，令人眼花缭乱，不大会儿，衣服织起了一大片。

✻我有一双普通的手。手掌有点儿圆，软绵绵的，上面横竖交错着几条弯弯曲曲的手纹。指头有长有短，有粗有细，手指甲伸直的时候稍微有点弯，像一把拉不开的

弓。白嫩的手指肚儿中间凸了出来，尖尖的，上面深深地嵌着一片粉红色的指甲。

✲那个学生，一边揉着自己的中指，一边看着陈老人的手，只见那两只手确实和一般人的手不同：手掌好像四方的，指头粗而短，而且每一根指头都展不直，里外都是茧皮，圆圆的指头肚儿都像半个蚕茧上安了个指甲，整个看起来真像用树枝做成的小耙子。

9．腿 脚

◇精美词语

脚背　脚底　脚跟　脚板　脚步　膝盖　宽大　肥大
修长　坚硬　有力　光滑　细嫩　细长　粗壮　白净
大腿　小腿　长腿　短腿　粗腿　细腿　脚丫　脚趾
白嫩　粗糙　坚实　枯瘦　耐磨　黝黑

小脚丫　脚趾头　八字脚　胖乎乎　黑糊糊　凉冰冰
飞毛腿　罗圈腿　平脚板　厚脚板　铁脚板　腿肚子

◇常用成语

脚如铁板　腿如灌铅　腿脚灵便　腿脚利索　腿筋蜷曲
腿毛细密　腿肌发达　腿如麻杆　闲庭信步　阔步向前
脚板扁平　脚丫肥短　脚背肥厚　脚趾散开　脚趾靠拢
鹅行鸭步　蜗行牛步　步伐矫健　步履维艰　步履蹒跚
健步如飞　四脚朝天　青筋暴露

◇绝妙句子

✽望着爷爷坚实而黝黑的脚腕，还有那又宽又大的脚掌，我真佩服。

✽我的爷爷有一双坚硬、有力、耐磨的脚。

✽外婆有一双粗糙的小脚，脚背上青筋暴露。

✽大伯的脚很大，皮肤粗糙破裂，裂缝中间眼见得还渗出一点血。

✽奶奶的脚是被裹缠过的，枯瘦的小脚，脚趾被摧残得已残缺不全了。

◇华彩语段

✽我看见一位老奶奶费力地上了车，她手里拄着一根拐杖，腿脚不灵便。一个男孩让了座，我仔细一看，心中一怔，那小男孩也架着双拐慢慢地移动双脚，那双腿笨拙而又沉重。

✽我午睡得正甜，突然听到“笃、笃、笃”的敲门声。我一骨碌从床上爬起，只见我那虎头虎脑的凯罗哥哥，汗水淋淋地站在门口，右腿上有一条两寸长的口子，上面还淌着血，我赶紧上前一步，拉住他的裤子，焦急地问……

✽我也学着爷爷的样子，把鞋脱掉，光着洁白的脚丫

跟着拾草，可细嫩的脚板被硌得钻心地疼。再看爷爷，拉着大锄，稳稳当当地向后退着，像踩在海绵上一样，那么自然、舒坦，再硬的土块在他脚下一碾，准成碎末。望着爷爷坚实而黝黑的脚腕，还有那双又宽又大的脚板，我真佩服。

✽我爹有一双脚，左腿粗，右腿细，皮里包着一条条蚯蚓似的筋，脚掌中间凸起像一座桥，脚趾粗而短，外面裹着一层厚茧，圆圆的脚趾肚儿像半个蚕茧上安了个趾甲。可别小看这双脚，它走过的高山大河不计其数。

✽那男孩挽着裤脚，没穿鞋。褐色的脚板踩在泥水中，发出有节奏的“啪啪”的响声，脚脖子上粘了一块泥巴，看上去斑斑点点。

10. 神　情

◇精美词语

羞涩　羞怯　冷漠　冷淡　慈祥　恬静　妩媚　愤怒
怜悯　失神　发呆　悲哀　失魂　内疚　愧疚　懊悔
高兴　兴奋　激动　喜悦　感激　欣慰　欢乐　欢喜
欣喜　得意　惊讶　安详　安然　坦然　腼腆　害羞
懊恼　阴险　狡猾　狡黠　失望　慌乱　恐惧　绝望
苦笑　恳求

冷冰冰　羞答答　气呼呼　笑盈盈　乐陶陶　乐呵呵
乐悠悠　乐滋滋　兴冲冲　喜洋洋　怒冲冲　笑哈哈

笑嘻嘻　笑眯眯　笑呵呵

◇常用成语

失魂落魄　神气十足　怒气难消　垂头丧气　神情沮丧
气急败坏　愁眉紧锁　愁眉苦脸　没精打采　容光焕发
悠然自得　和颜悦色　笑逐颜开　威风凛凛　满面春风
谈笑风生　义愤填膺　昂首挺胸　气势汹汹　洋洋得意
若无其事　神采奕奕　神采飞扬　神态自若　从容不迫

◇绝妙句子

✽她始终是微笑的！不论上班、下班、说话、走路，她总是带着那亲切、诚挚的微笑，那使人在严冬感到温暖，在酷暑感到清凉的微笑……

✽在吃午饭时，我见她吃着鲜嫩的青菜和肥美的鲜鱼，菜上沾满了大蒜的沫子，她咧开大嘴美美地往嘴里扒拉着，得意地笑了，眼睛又一次陷进了满脸的肥肉之中，眼神不好的人又找不到了。

✽小丽刚才还直勾勾地盯着发卷人，现在，好像感到他向自己走来，身体似乎矮了一截，头越低越下。卷子放在她面前，她“啪”的一声把卷子迅速地翻到正面，“84”两个红字赫然出现在眼前，她似乎又长了半尺，长长地吐了一口气，笑嘻嘻地说：“我考得不好，考得不好。”

✽妈妈的脸也阴沉下来，手中的毛线失手掉在地上，嘴唇在微微嚅动，但没有说出一句话。

✽高中毕业却丝毫没有书卷味的二嫂，嘴巴笑得像个可舀水的瓜瓢。

✽成绩单拿到了，但她还在仔细地端详着，用那只枯老的手在上面摸了又摸，她微笑着看了很久，眼睛里放出了奇异的光彩。

✽老人用手抹了一下额头，浑浊的双眼放出光彩，他舔舔干裂的嘴唇，咽了口唾沫，脸上现出憨直的微笑："烽火台，修长城用！"声音像一个久病虚弱但仍满怀希望和信心的人发出的。

✽妈妈慢慢抬起那双布满血丝的双眸，那目光中，倾注给我们多少无私的爱，无私的情，同时也深深刻下了她含辛茹苦，饱经风霜的印记。

✽小默终于说不下去了，眼泪"叭嗒叭嗒"地掉了下来。田老师摸着小默的头，小默仰起脸，看到老师含泪的双眼，小默终于哭出了声。

✽爸爸拂了拂半白头发，瞅着自己须蹲着才能给她授衔的小小军人，惬意得满面红光。

✽"……没，没有。你知道那是打不死人的……"没来得及说完，她就现出极悲伤极委屈的样子，接着她的小嘴就抿得很紧，眼睛也眨得频繁。

✽“哈！哈！哈！”母亲这时也发出一阵由衷的大笑，我顿时惊愕于母亲的笑声竟是这样的爽朗而富于热情。笑声中，往日忧郁惶惑的神色从母亲面部一扫而光，我的眼前终于升起一轮温暖明亮的太阳。

✽“什么!”父亲一下子呆住了，昏黄的电灯光，折射出父亲眼里的失望与愤怒，给父亲的脸罩上一层蜡黄的颜色，与黑影交错着，更显出一种可怕的失望，甚至是绝望。

✽弟弟耸了耸那微微上翘的小鼻子，撇了撇那撅起的薄嘴皮，挺了挺那鼓鼓的厚胸脯，理直气壮地说：“嗯——，我是个东西!”

✽但他还是看见了，而且似乎受到了某种力量的震撼，身子抖了一下，原来非常英俊的面庞在月光下显得苍白，眼睛里好像有一样东西闪了一下，是泪水吧?

✽我激动不已，激动得苦苦的心中波浪起伏，酸酸的眼中热泪滚滚。

✽少妇脸红了，显得局促不安。手里捧着两只橘子，仿佛是捧着两只铅球……

✽她默默地、喜洋洋地坐在我身边，最后微笑着睡着了。

✽护士阿姨的脸更难看了，眉毛顿时拧成了疙瘩，额

上沁出了汗珠。

✽爸爸的脸色好难看啊，他像火山爆发一样发怒了。

✽他的脸涨得红红的，手还一个劲儿地抓耳朵，身子也不时扭动着，现出十分忸怩的样子。

✽玲玲笑弯了嘴，两头翘起角儿，活像一支大香蕉。

✽双方越吵越凶，就像一只只斗红了眼的小公鸡。

✽只见他嘴张得像箱子口那么大，一下子就愣住了，接着他就咽了两三口唾沫，好像是嗓子里发干似的。

✽往日和蔼可亲的妈妈，今天却铁青着脸，像是要和谁决斗。

✽眼里闪烁着一股无法遏止的怒火，牙齿咬得格格作响，好似一头被激怒的狮子。

✽不知怎么了，这个一向吹胡子瞪眼睛的老头，此时腼腆得像个孩子，脸红红的，话也不流利了。

✽孙强向门口走了几步，眼泪像断了线的珍珠似的掉了下来。

✽他有些吃不消了，牙关紧咬着，“咯咯”作响，脸涨得像个紫茄子，豆大的汗珠从额头上一个劲地往下淌。

✽嘴噘得就像个撅子，大咕噜小嘟囔的，就像水缸里翻了瓢似的。

✽他又惊又喜，眼睛像通了电的灯泡，蓦地亮了，一直沉着的脸露出了笑容。

✽一双悲凉的目光无神地望着病房的天棚，天棚是灰白色的，她绝望了。

◇华彩语段

✽何阿四嘴巴动了几下，枯黄的眼睛里，淌出满眶的热泪，眼一眨，眼泪便簌簌掉了下来。他断断续续、有气无力地发着颤抖的声音说：

“土根，你……待我……太……好了！……我一生……流浪，……没个……家，……没个……亲人，你……”

话没说完，又咳咳地呛了起来。眉毛揪得紧紧的，似乎是十分痛苦。

“我……不行……了，……土根。……”

✽他是个乡下孩子，也就十四五岁，皮肤黑黑的，瘦矮，但看得出比城里的孩子结实。头发如同烟熏过一样黄，没有一丝光泽。浓浓的眉毛下，深陷的眼窝里忽闪着一对乌亮、活泼的眼睛，显得伶俐。小鼻子倔强地翘着，而那两片厚厚的嘴唇，又使人觉得他那么的憨厚善良。

✽回来的路上，爷爷高兴地哼起了家乡小调。我埋怨

爷爷不早挑明这件事，让我们都蒙在鼓里，爷爷诡秘地一笑，俯在我的耳旁，嘱咐我不要告诉奶奶。

✲星期天，爸爸带她上爷爷家去玩，婧婧快活极了。可是爸爸下午要加班，她就不放爸爸走。爸爸在门口躲起来，她找不着，就变了脸，哭着喊着：“爸爸，我想家！”爷爷奶奶怎么也哄不住。

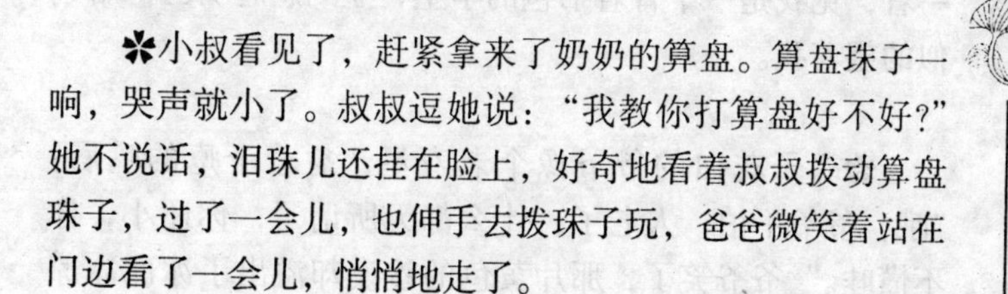

✲小叔看见了，赶紧拿来了奶奶的算盘。算盘珠子一响，哭声就小了。叔叔逗她说：“我教你打算盘好不好？”她不说话，泪珠儿还挂在脸上，好奇地看着叔叔拨动算盘珠子，过了一会儿，也伸手去拨珠子玩，爸爸微笑着站在门边看了一会儿，悄悄地走了。

✲我怔怔地站在原地，望着篮中红艳艳的、水灵灵的四角菱，一种由衷感激的情感之流涌遍全身。当我抬头寻找那位小姑娘身影的时候，谁知她已经消失在蒙蒙的雨幕中。我的眼睛模糊了，她像又增加了一道雨幕。

✲那人大概被骂傻了，一声不吭。等我捡起饭盒，抬头一看，一对睁得大大的眼睛正瞪着我！我脸一红，不好意思地从他身边飞快地溜走了。

✲忽然，不知谁喊了声：“二嫂真美，就跟画一样。”二嫂的脸“腾”地飞起一片红晕，眼里有颗亮晶晶的东西闪了一下。

✲人快走光了，我硬着头皮走上前，一个“同志”刚到嘴边，我又咽了回去，因为我这样子似乎小了点儿，够不上同志。狠了狠心，我尽量把面部肌肉放松，叫了一声“阿姨”。

✽可能是我的声音太高了吧，他们吓得急忙站了起来，呆若木鸡地立在一边。我看他们那副样子，又好气又好笑，不禁“哧”的一声笑了出来。他们定了定神，抬头一看，见我是一个背着书包的学生，立刻翘起嘴巴，赌气似的望着我。

✽胡子花白的爷爷像个老寿星，翕着干瘪的嘴唇：“哦，爷爷不怕，人老了，什么都无所谓了，你还小，你不懂哇。”爷爷笑了，那片黄色的沙漠却溢出了冰凉冰凉的泪水，流过了他的脸颊，流到了他的心里……

✽我慢慢抬起头，望了望王锋——我班上数学成绩最好的数学科代表，哟，他这是怎么了：腿轻轻地抖动着，两手不自觉地用力捏着钢笔，眼睛紧紧盯着老师的嘴巴，嘴唇颤动着，而且，每当老师念到名字的读音与“王锋”差不多的同学时，他脸上的肌肉就重重地抽动一下。再看看他那坐姿，简直像一支绷紧的弹簧。忽然，数学老师提高声调，宣布道：“王锋同学，91 分，最高分！”只见王锋猛地一晃，身子顿时萎缩下去，像久病未愈的人，无力地靠在椅背上。

✽这不，张婶、王姨、赵大妈……她们正聚在我家里，一个个捋胳膊挽袖子地嘀咕着什么，不时还传出几声叹息。妈妈也掺和进去了，她眉头紧皱着说：“不行，得

想个办法！你看……”妈妈说着，一边拍着不知身体的哪一部分，发出“叭哒，叭哒”的响声。见我进了屋，她们却马上换了一副笑脸，打着哈哈，扭着肥胖的身子各自回家去了。走出老远，张婶还回过头来对妈妈说：“下午上街买去，试试看，准保管用！”她大声喊着，一边向妈妈做着手势，一边倒退着向后走，一块砖头绊了她一个趔趄，幸亏没有摔倒，否则，凭她那块头，准会把地砸个大坑。

✲我纵情地笑着，几天来的疑惑与费解全部化作笑声飞出了心窝，伴着清凉的晨风吹响了这山城小镇。妈妈也笑了，人们都跟着笑了。这是发自肺腑的欢笑。

✲我看见赵老师伏在讲台上，仔细地听着，手飞快地记着。他的脸上始终洋溢着和蔼的微笑。他的脸此时显得那么有光彩。

✲在春天的阳光底下，姚月琴的脸显出被想象不到的胜利所沉醉的样子，酣红、明朗，现出各种各样的得意的表情。眉毛忽然拉长，忽然缩短，两只黑闪闪的眼珠上下左右不停地转动，整个身子好像一棵小树享受着微风的吹拂，颤巍巍地抖动着。她的这种仪态，使人一眼看去，就可以感觉到她的心房里正在荡漾着喜气洋洋的纤细的波纹。

✲五年前的花白的头发，如今已经全白了，全不像四十上下的人，脸上瘦削不堪，黄中带黑，而且耗尽了先前的悲哀的神色，仿佛是木刻似的；只有那眼珠间或一转，

还可以表示她是一个活物。

✽你一定注意到那个瘦瘦的、戴眼镜的，文质彬彬的男同学了！你也许会猜：学习是尖子，体育不怎么样。给你猜对了，不过，“体育不行”已成为他的“历史”。上学期，经过奋斗他的体育成绩终于由不及格而跃过了七十五分的大关，这在当时，简直成了我们班爆炸性的新闻。你看，那个短头发圆脸蛋的小姑娘，她是我们班的“小画家”，她画的黑板报可吸引人啦。那个手搭小画家肩膀的腼腆的女孩子是我们班的“小诗人”，那个高个子是长跑冠军，那个……，唉，我都报不过来啦，反正，我们班人才多着哪！

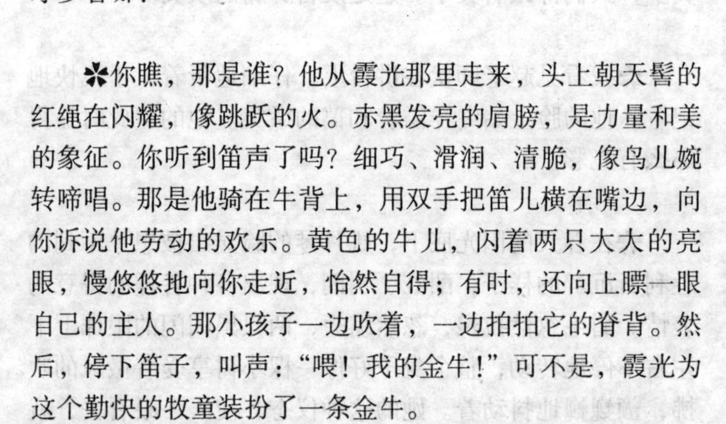

✽你瞧，那是谁？他从霞光那里走来，头上朝天髻的红绳在闪耀，像跳跃的火。赤黑发亮的肩膀，是力量和美的象征。你听到笛声了吗？细巧、滑润、清脆，像鸟儿婉转啼唱。那是他骑在牛背上，用双手把笛儿横在嘴边，向你诉说他劳动的欢乐。黄色的牛儿，闪着两只大大的亮眼，慢悠悠地向你走近，怡然自得；有时，还向上瞟一眼自己的主人。那小孩子一边吹着，一边拍拍它的脊背。然后，停下笛子，叫声：“喂！我的金牛！”可不是，霞光为这个勤快的牧童装扮了一条金牛。

✽一个小女孩轻快地跑着，如夕阳中的安琪儿在空中飘飞。我的目光随着她飞舞。她停止了歌唱，小心地朝一只白色的蝴蝶走去，她的脸好红好红，不知是晚霞染红她的双颊还是晚霞从她的脸颊飞起。

✽这不，神气十足的数学老师已站在教室门口，用惯有的挑剔的目光扫射着教室。向上昂着的头颅上那一对度数不详的眼镜泛着怕人的白光。哼，也难怪高年级的哥哥姐姐们艺术地形容他：望星空。

✽你看他那头深深地埋在胸前，脸一直红到耳边。从两只眼里滚出的晶莹透明的泪水，简直就像两汪小泉，不断地向下滴落。眼睛都被他那一双手揉得红肿了。

✽我们知道分离的时候将要到来，千言万语哽在喉头，激动得一句话也说不出来。她的眼睛里闪着晶莹的泪花，嘴唇微微颤动，双手不断地把笔记本打开又合上，合上又打开。

✽她嘴角微微颤动着，嘴半张着，胸脯一起一伏，瞪圆的两只大眼睛仿佛要射出火焰似的。她好委屈呀！她的鼻子耸了耸，晶莹的泪水润湿了眼睛，硬是没有流。猛然，她倔强地把头向侧面一甩，嘴一努，眼睛紧盯着一个角落。

✽最后走出的，是一位白发苍苍的老人。他来到大街上，用颤抖的手从口袋里掏出一副眼镜，戴在目光深邃的眼睛上，静静地站在那儿，凝视着远方，许久，许久。啊，你看：他那满是皱纹的脸上慢慢地绽开了笑容，那是喜悦的笑，激动的笑，会心的笑。

✽其他的妇女也都一边卷着绷带，一边谛听着什么。有的吃惊地张着嘴；有的轻轻地摇头叹息着；有的难过地掩面抽泣，有的愤怒地握紧了拳头。她们为何这样义愤填膺而又抽泣流泪呢?

✻那种笑容是遍布满脸的，里面还有折纹，还有皱纹，还有螺旋纹，就像你往池塘里抛了一块砖的地方那个样子，然后当他向那张票瞟了一眼的时候，这个笑容马上牢牢地凝结起来了，变得毫无光彩，恰像你所看到的维苏威火山边上那些小块平地上凝固起来的波纹状的，满是蛆虫似的一片一片的熔岩一般。我从未见过谁的笑容陷入这样的窘况，而且继续不变。

✻两个大的眼窝里，藏着两颗乌黑闪亮的珍珠，珍珠上的水越蕴越多，越蕴越饱，终于夺眶而出，流过她的面颊，就像露珠在荷花上滚动一样。

11. 服 饰

◇精美词语

上衣　外套　裤子　衣帽　干净　利索　淡妆　浓妆
整齐　朴素　洁净　干净　清洁　整洁　笔挺　利落
衣着　衣冠　穿着　打扮　穿戴　装束　装饰　衣冠
讲究　考究　时髦　时装　新颖　新奇　奇特　淡雅
美丽　美观　大方　艳丽　俏丽　亮丽　雅致　合身
漂亮　俗气　洋气　土气　老气　入时　适时　得体

◇常用成语

不修边幅　峨冠博带　裁剪合体　款式新颖　色调和谐

衣不蔽体　衣服笔挺　珠光宝气　朴素大方　落落大方
华丽妖艳　素净淡雅　穿戴整洁　装束时髦　雍容华贵
西装革履　衣衫褴褛　衣冠楚楚　衣锦还乡　衣帽整洁
梳妆打扮　土里土气　花枝招展　花里胡哨　清亮秀丽
袒胸露臂　一丝不挂　穿红戴绿　节日盛装　皱皱巴巴

◇绝妙句子

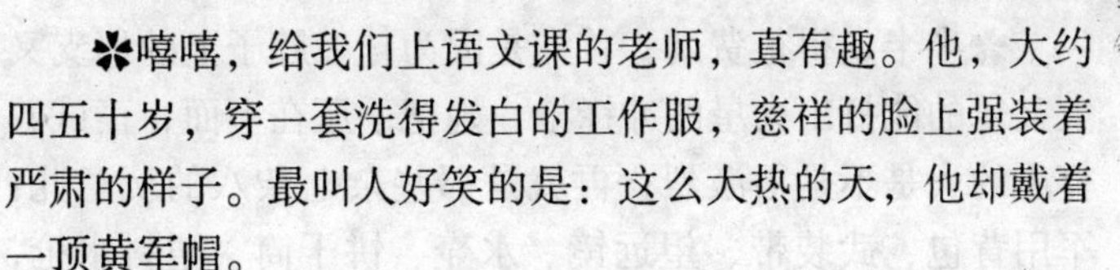

✽嘻嘻，给我们上语文课的老师，真有趣。他，大约四五十岁，穿一套洗得发白的工作服，慈祥的脸上强装着严肃的样子。最叫人好笑的是：这么大热的天，他却戴着一顶黄军帽。

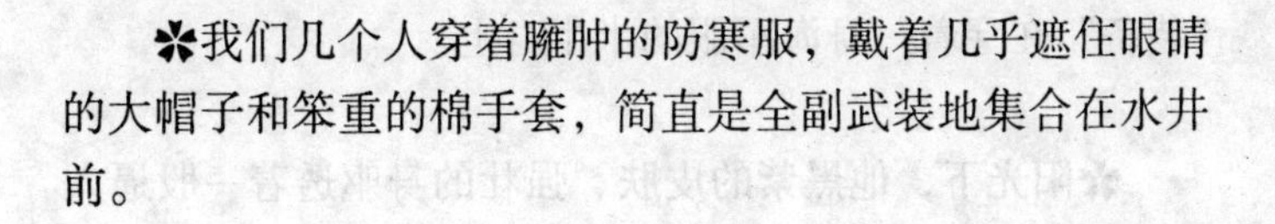

✽我们几个人穿着臃肿的防寒服，戴着几乎遮住眼睛的大帽子和笨重的棉手套，简直是全副武装地集合在水井前。

✽一身洗得褪了色的蓝布工作服，一把大扫帚，从小巷的这头扫到那头，然后，一盆盆的水又从小巷的那头泼到这头。

✽我回眸一看，原来是个外国小姑娘：穿着橙色的羽绒登山服，蹬着双鹿皮翻毛小靴子，一束金黄色的秀发，浓密柔润地披在肩上，宛如清幽山洞中倾泻下来的一挂瀑布。

✽列车到了一个小站，上来一位拄着拐杖的老年人，挽起的裤腿上溅满湿泥，粗糙的大手上生满粗茧。

✲同学们都穿上节日的盛装，戴着鲜艳的红领巾，真像是美丽的花朵。

✲奶奶那副老花镜已经被一副金边眼镜取代，身上的那件蓝色素花衣裳也换成了一件淡紫色的真丝衬衣。呦，头发也好像染过了，又黑又亮，真像年轻了二十岁。

✲半半走得很费劲，首先是因为挂在脖子上的那支又大又笨的能打出火星的冲锋枪，她把手压在上面，正试着打出的火是不是很激烈；再就是那些杂七杂八的玩意儿：军用背包、武装带、望远镜、水壶、饼干筒、塑料水枪，她还背着一个大背包，背包里装的是饮料，这些东西都“装备”在穿着一身海军服的半半身上。

✲阳光下，他黑紫的皮肤、强壮的身躯透着一股逼人的锐气和力量，黑色的皮坎肩上镶着银光闪闪的亮扣，腰间束着七彩的丝带和绸穗，脚蹬黑亮的犍牛皮靴，这是草原上的金鹰啊！

✲奶奶将黑红色皮鞋穿在脚上，慢慢地站了起来，我突然发现，奶奶年轻多了。

✲他身体颀长，笔挺的西服配着那鲜艳的格条领带，使他显得更加文雅潇洒。

✲一位年轻的姑娘，身穿蓝色的工作服，秀美的脸上焕发着青春的光彩，就像鲜花一样生气勃勃。

✽妈妈把妹妹打扮得像一只花蝴蝶。

✽她上身穿一件白色西装，内穿一件绿色衬衣，胸前别一朵猩红色的胸花，下穿一条牛仔裤，把她那修长的身材勾勒得更加迷人。

✽浑身上下溅满了泥巴，雪白的衬衫都成土黄色了。

◇华彩语段

✽突然，蒙古包的门被闯开了，一个身穿草绿色长袍、腰间像大人一样宽宽地扎着红绸腰带的七八岁的男孩，骑着一根长长的柳条子，身上还挂着马枪、弓箭，横冲直撞地跑进来……

✽我的爷爷是一位普通农民，身穿粗布裤褂，两鬓斑白，花白的头发上像落了一层细细的霜雪，脸上的皱纹又粗又密，两只粗大、干枯的手摸在他的脊背上，像两只小锉似的。

✽妹妹上身穿一件粉红色的衣服。衣服上有两只小小的口袋，口袋里放着手帕和用糖纸折成的花和小人，衣服胸前还绣了一朵花。妹妹穿的裤子的颜色是桔黄色的，裤腿上还绣着两只小鸭子的图案，妹妹的脚上还穿着一双镶拼式皮鞋，走起路来噔噔噔的很神气。一抬脚，连雪白的袜子都依稀可见。

✽石老师大约有三十多岁，他的身材实在没有什么让人看得上眼的地方，既不高大魁梧，又不怎么精干，还稍微有点胖，一点也说不上英俊气派。我最佩服他穿衣服的整齐派头，他穿中山装时，每粒扣子都扣得规规矩矩，连领口那儿的钩也从不解开，就好像解放军扣风纪扣似的。大热天他也从不穿圆领衫来上课，总得穿一件衬衫才进教室。

✻舅舅是一家公司的经理。平时，他爱穿一身挺阔气的西装。板板正正系着一条红底白线条的漂亮的领带，穿一条深绿色的喇叭裤，脚蹬着一双发亮的黑皮鞋。对他的这身打扮，我开始有点看不惯，但是与他相处久了，原来的看法竟完全改变了。

二、心理描写

1. 欣　喜

◇精美词语

高兴　愉悦　兴奋　得意　开心　幸运　快乐　满意
欣慰　喜悦　愉快　痛快　欢乐　狂喜　欣喜　畅快
满足　自豪　甜美　安逸　微笑　嘻笑　狂笑　幸福
尽情　陶醉

喜洋洋　美滋滋　乐融融　乐呵呵　乐悠悠　甜蜜蜜
笑嘻嘻　笑眯眯　笑吟吟　笑哈哈

◇常用成语

乐不可支　乐在其中　乐而忘忧　沾沾自喜　欢欣鼓舞
捧腹大笑　仰天大笑　哈哈大笑　微微一笑　嫣然一笑
笑容满面　笑逐颜开　笑容可掬　喜形于色　喜气洋洋
欢天喜地　欣喜若狂　心花怒放　美不可言　乐趣无穷
喜不自胜　喜出望外　喜笑颜开　喜上眉梢　喜上加喜
满怀喜悦　大喜过望　眉舒目展　怡然自得

◇绝妙句子

✽什么，我简直不敢相信自己的耳朵，看到别人投来羡慕的目光，我乐了：今天是妈妈的生日，把我的成绩告诉她作为生日礼物，她一定高兴，嘻嘻……

✽爸爸笑眯眯地拍着我的肩："好样的！又闯过一个难关！"我望着爸爸，感到他的笑容包蕴着丰富的内涵，是赞许，是鼓励，是喜悦。

✽这时旁边的一位阿姨用赞扬的目光看着我说："这个小朋友真不错，有些大人还不如他呢。"

✽姥姥还没等我说完就急着说："那柳巷的大厦是一座连一座，钟楼街的商场是一家挨一家，我都看见了，我都看见了！我走到开化市小区看到那一幢幢新建的居民楼，有点式楼，有锯齿形的楼，一幢楼一个样，新开的一条条路把我糊弄涂了，转来转去，怎么也转不出来，不是我老太婆不中用了，是咱太原市的变化太大了！”

✲我不知不觉进入梦境，梦见自己长出了五色翅膀，在蓝天里飞呀飞，真是快乐无比。

✲成语卡片是我课余生活的好伙伴，每制成一个新的成语卡片，我心里就甜滋滋的，像吃了蜜一样。

✲平静的湖面激起了欢乐的浪花，我的心情也像浪花一样欢腾。

✲英语测验得了100分，我抑制不住内心的喜悦，像小鸟一样飞进了家门。

✲桌上的菜真丰盛啊，我想：明年的生活会更好，越想心里越乐，越想心里越美。

✲直到今天，我还清楚的记得第一次观星时的情景，就好像吃了什么美味佳肴，虽已吃完，却是余味无穷。

✲大家心里说不出有多高兴。脚下好像生了风，走得又快又有劲。

✲爸爸变了，那才叫人舒畅呢，我欣慰，我开心，比什么都令人欢欣鼓舞。

✲明天就能亲自登上万里长城了，我躺在床上，想啊想，那是我天天想，夜夜盼的美事。

◇华彩语段

✽春女咯咯地笑起来了，笑得很开心。好像她在捉迷藏，突然将我捉住了那样开心。接着，又忙起蒸馍了，白气又笼罩了屋子，她头上的迎春花瓣上凝的水珠，骨碌滑下了一颗。

✽他看看四边，觉得周围的草木，都在那里对他微笑。看看苍空，觉得悠远无穷的大自然，微微地在那里点头。一动也不动地向天看了一会儿，他觉得天空中，有一群小天神，背上插着翅膀，肩上持着箭，在那里跳舞。他觉得快乐极了。

✽下午，举行入队仪式的时候，高年级的大姐姐们给我们新队员戴上鲜艳的红领巾。以前，我最羡慕那些戴红领巾的大哥哥大姐姐们了，现在我也戴上了红领巾，别提心里有多高兴了。在队旗下，我们庄严宣誓："准备着……"最后，大哥哥大姐姐们还表演了节目，他们演得真好。我们自己成了一名少先队员，今后更要好好学习，天天向上。

✽小小的电视屏幕上传来好的消息，熊倪获26届奥运会跳板跳水冠军啦！他抱着美丽的鲜花微笑，眼睛里闪动着激动的泪花，他心中该多么幸福多么自豪啊！我为他感到欣喜，感到快慰。

✽一道数学题算了一遍又一遍，就是算不对，急得我抓耳挠腮。满头大汗，心里烦躁得要命。我干脆放下笔，听起了乐曲。夜幕笼罩了江面，月亮从水面升起，月光下面天水一色，多美的景色啊！《春江花月夜》的优美旋律在夜空中萦绕着，我的心渐渐平静下来。我重新拿起笔，一下子就把题算出来了。此刻，多么轻松啊！音乐该是多么神奇哟！这天很晚了，我躺在床上久久不能入睡，耳畔仿佛还有优美的乐曲在响，我尽情地享受这甜，这美，心里乐融融一片，我生平第一次陶醉在音乐之中了……

✽清晨，我背上书包，兴高采烈地向学校走去。一路上，阳光灿烂，松柏苍翠，小鸟在树上叫个不停。我蹦蹦跳跳地走着，一会儿闻鲜花，一会儿摸树叶，要知道，这次大考，我的语文、数学、外语平均分数在 96 分以上，“三好”学生，当然是我喽！我想着想着，笑了。

✽分数公布了，陈静看着自己的成绩单，激动得满脸绯红，心里像有只小鹿，在欢乐地蹦跳。半年来自己的心血并没有白费，那废寝忘食的苦读，那孜孜不倦的钻研，那虚心实意的求教以及由此带来的身心劳累，此刻，都化作了甜蜜的果实，奉献在她的面前，这是劳动的报偿，这是汗水的结晶啊！

✽我的姓名叫李行（háng）。大人有时跟我开玩笑，叫我一行（háng）两行（háng），还有的叔叔阿姨故意逗我：“李行（xíng），你行（xíng）不行（xíng）?”我仔细一想：这哪里是开玩笑呀，分明是长辈对我寄予的厚望啊。我暗下决心，要以优异成绩考上中学，上大学，当科学家，发明超光速宇宙飞船，去探索宇宙的奥秘。我要让外星人都啧啧称赞我——“李行，你真行！”我一这样想

着，心中总是喜滋滋的，充满快意。

✻我坐在床边，抚摸着那金闪闪的扣子，心里想：自己会缝扣子了，这是真的。以后一定会补衣裳、洗手绢、擦皮鞋、做饭，还能帮妈妈做好多事儿。我长大了，再也不是什么也不会的小懒虫了。以后就可以像大人们一样，做大人的事了。坐在那儿，我心里甜蜜蜜的。

2. 悲 愁

◇精美词语

哀怜　哀戚　伤心　伤感　伤神　伤悲　愁闷　愁苦
愁肠　愁容　忧愁　忧虑　忧郁　忧思　忧闷　忧伤
悲哀　悲叹　悲观　悲凉　悲痛　悲惨　悲切　悲泣
悲恸　悲壮　悲愤　悲愁　悲戚　悲郁　悲鸣　悲凄
哀伤　哀愁　哀痛　哀思　哀怨　哀切　哀嚎　哀悼
忧患　忧心　担忧　犯愁　烦闷　惆怅　揪心　苦恼
解愁　痛苦　凄惨　痛切　哀痛　痛心　沉痛　心碎
沮丧　断肠　苦痛　苦楚　苦涩　苦水　辛酸　恸哭

◇常用成语

离愁别绪　忧心如焚　忧心忡忡　五内俱焚　痛心疾首
痛彻肺腑　心如刀绞　心胆俱裂　心烦意乱　心绪不宁
悲痛欲绝　悲天悯人　悲愤满腹　悲从中来　愁容满面
愁眉不展　愁眉紧锁　愁眉苦脸　愁肠寸断　黯然神伤
触景伤情　睹物思人　怏怏不乐　闷闷不乐　郁郁寡欢

失声痛哭	低声抽泣	涕泪交流	愁苦万分	愁绪满怀
哀声冲天	痛不欲生	泣不成声	忧愁不安	忧虑不定
茶饭不思	借酒浇愁	愁肠百结	伤心落泪	以泪洗面
忧国忧民	为国分忧	杞人忧天	心绪不佳	寝食不安
苦闷异常	提心吊胆	心烦意乱	心绪不振	忧天忧地
心神不安	心如刀割			

◇绝妙句子

✽我听了差点没昏过去，心里真是又气又恨又伤心。可是当着同学们的面只把眼泪往肚子里吞 ，一声不响地坐在座位上偷偷掉眼泪。

✽您走后，我的心中充满了笔墨难以形容的痛苦、难过，就像一块大石头压着我，使我透不过气。

✽老八板血往上撞，脑门上青筋暴起，身上结实的肉疙瘩鼓了起来，铜铸一般：好个泥鳅，你小子竟开船来趁水打劫！明抢明夺，还有没有王法！老八板抄起一根木棒，心想：要是谁敢截杉木，我老八板舍这条老命跟他拼！

✽尽管我设计了很多藏匿日记的周密方案，我还是忧心忡忡，担心哪一天我写得太投入，一抬头，发现父亲那愤怒而冰冷的脸……

✽天上飘着那如丝的细雨，心中填满如雨的哀思，我跌跌撞撞爬向山顶，风吹歪了无力的伞，雨丝打在脸上、身上，还有那忧伤的心灵……

✽顿时，我好像掉进了冰窖里，从头顶凉到了脚尖。

✽我心疼得像刀绞一样，眼泪不住地往下流。

✽我整天愁眉苦脸的，友谊破裂了，在心灵上留下了难以弥合的伤痕。

✽爸、妈又吵架了，吵得我心烦意乱的。我独自在楼上，我该怎么办呢，我悲伤地哭泣着。

✽看着眼前这位和我同龄的小姑娘，我的心很沉重。我想：她不该卖柿子啊……

✽葡萄树断了，深深刺痛了我的心，那绿色的树汁一滴一滴往下淌，像是泪，像是血。

✽我蒙在被窝里嚎啕大哭，我幼小的心灵忍受不住这么大的侮辱。

✽我俩的目光一碰到一起，彼此便低下头，唉，什么时候才能结束这忧虑不安的日子呢？

✽她蓦地睁开眼睛，痴痴地望着他，早已在眼睑内蓄积了许久的泪水夺眶而出，哗哗地顺着雪白的面颊流下来。

✽……犹如晴天一声霹雳，我简直不敢相信自己的耳朵，颤抖着双手拆开信……

✽同学们又议论他了，这些尖刻的议论，使他觉得有说不出的苦涩味。他想哭，又哭不出来。自此以后，他变得沉默、孤独了。

✽临走的时候，妈妈挣扎着不哭，可是心底下的泪水到底翻上来了。我呢，连哭都忘了怎么哭了，我只是咧着嘴抽泣，泪蒙住了我的脸。

✽走在回家的路上，我心里十分难过。我的脚像一块铁，走起路来是那样沉重。

◇华彩语段

✽“该买些什么东西送给她呢?”整整一天，我都沉浸在这个烦恼之中。不知从何时起，在我们中学生里也开始流行起“过生日”这一“时髦”做法。“生日送礼”已是一条不成文的规定，然而，“经济危机”也是家常便饭了。

✽眼前，是迷茫的一片，雨丝飘在我的头上，脸上，也打在我的心上，那样冷，那样沉，那样痛。我好想大哭一场，可心却不让我这样，只是在雨中默默地流泪，流着心中的泪。无声无息，只有雨丝知道，我的心在发颤，在哭泣……

✽不知过了多久，我头上、脸上全都湿漉漉的了，晶莹的水珠顺着脸颊流下来，分不清是雨水还是泪水。

✽人们心情沉痛，目光随着总理的灵车移动，好像有

谁在无声地指挥，老人、青年、小孩，都不约而同地站直了身体，摘下帽子，眼睁睁地望着灵车，哭泣着，顾不得擦去腮边的泪水。

✽在白墙的衬映下，她的脸色显得发黄、憔悴，微笑时，眼角的鱼尾纹清晰可辨；大大的眼睛，枯涩无光，而且有点迟钝的样子。她的笑容是妩媚的，温柔的，却很勉强，显然只是为了在客人面前保持礼貌。常雁感觉到她的眉宇间有一层深深的愁苦。

✽爸爸低声对我说："她死了。"啊！这一噩耗犹如晴天霹雳，把我惊呆了。我一个人待在屋里，回想"妈妈"养育我的深情，回忆她经历的千辛万苦……泪水模糊了我的双眼，我猛地推开窗户，向着黑黑的夜空呼喊……

✽我望着她的背影，心里酸滋滋、麻辣辣、苦涩涩的，泪水像断了线的珠子滚落下来，我哭了，天啊！怎么能这样乱收小孩子的钱呢？我忧虑着，"干什么都捞钱"，是真的吗？我无法回答了。

✽从此，我失去了奶奶抚爱的温暖——春天，她再也不能在田间摘下那一朵朵无名的野花，插在我翘起的小辫上了；盛夏的夜晚，她再也不能为酣睡的我用蒲扇赶走"嗡嗡"的蚊虫了；中秋皎洁的月光下，她永远也不能给我絮絮地讲述那广寒宫里的嫦娥，桂树下的吴刚和永无休止地捣药的玉兔了……

✽一夜工夫，妈妈的头上增添了许多白发，眼睛也深深地陷进去了……妈妈慢慢地走向妹妹的遗体，像往常一样，轻轻地抱起妹妹。妈妈的眼里充满着忧伤，痛苦……

✽我蒙在被窝里嚎啕大哭，我幼小的心灵忍受不住这么大的侮辱。帮助同学难道错了吗？男女同学之间存在友谊也错了吗？整整一夜啊，我没有合过眼。

✽“二姐，大姐又摔跤了。”弟弟跑过来对我说。唉！大姐也真够可怜的。小时候害了脑膜炎，爸爸妈妈带她到南阳、北京等地看，就是看不好。爸爸妈妈常常闷闷不乐，阴影在爸爸、妈妈脸上留了下来，大姐的病何时才能治好呢？

✽望着烧得残破不堪的房屋，人们叹息着，流着泪，大火真是无情啊！我心情很沉重，我心急如焚。人们到哪里去住呢，今后怎么生活呢？……

✽突然有人喊：“不好了，汽车轧死人了！”我急忙丢下扫帚，三步并作两步，向出事地点奔去。挤进人群一看，只见一个小女孩压在前轮下。那熟悉的衣裤，啊，是朝夕相处的亲妹妹！我的头“嗡”的一声响，什么都不知道了……

✽委屈，伤心，我忧心忡忡地打开日记本，流着泪写着……妈妈，你为什么不问明白原因呢？夜里，我久久不能入睡，又苦闷又忧伤。望着窗外闪烁的星星，我的眼泪又掉下来了。

3. 愤　怒

◇精美词语

大怒　怒号　怒吼　怒色　怒火　怒斥　怒骂　恼火
怒气　怒目　愤怒　愤恨　愤懑　恼怒　怀恨　遗恨
怨恨　痛恨　憎恨　愤激　愤然　发怒　激怒　怒视
怒目　义愤　怒容　动怒　火气　生气　气恼

吹胡子　瞪眼睛　怒冲冲　气呼呼

◇常用成语

怒目而视　怒气冲冲　刻骨之恨　千古之恨　恨天恨海
怀恨在心　切齿痛恨　暴跳如雷　大发雷霆　恼羞成怒
怒容满面　怒目圆睁　勃然大怒　怒气冲天　怒不可遏
愤愤不平　怒火中烧　满腔怒火　怒气填胸　深恶痛绝
怒发冲冠　气恨难平　义愤填膺　强压怒火　愤然而去
气恨难消　指桑骂槐　指天骂地

◇绝妙句子

✽“连草木也来欺我辱我！”我生气地拉住树枝，用力把它折断，丢在地上用脚猛踩，以此出气。但其它许许多多柳枝仍在微风中摇荡，似乎在嘲弄我，我怒气上升，像怒狮一样扑进去向柳树干狠击一掌。

✽我常常想：我又没做过什么亏心事，为什么老天爷却叫我长得这般难看？可我偏偏又是个女孩子。唉！该我倒霉呀。

✲我让妈妈把 200 元钱要回来，心想扔了也不便宜她。

✲也许，正是由于人们怠于工作、开后门请“病”假的事太多了，太阳才借口其体内黑子爆炸，请医生开假条请假呢！这类歪风正从地球蔓延到宇宙，影响了至高无上的太阳。

✲为此我常叹道：“上帝啊，你既然创造了我，为什么却不赐予我一个与常人一样健康的身体和美丽的容貌呢?”

✲我眼前一会儿出现唐老鸭那滑稽可笑的形象，一会儿又出现您那凶神恶煞的样子，翻来覆去怎么也睡不着。

✲眼里闪烁着一股无法遏止的怒火，牙齿咬得格格作响，好似一头被激怒的狮子。

✲我强忍着压住心中的怒火……

✲她板着脸孔一声不吭，核桃纹皱得又深又密，脸不是脸鼻子不是鼻子的。

✲我心中怒气冲天，护士阿姨，你这是怎么了？你看，这孩子很危险啊！

✻他悲愤填胸，无可奈何地瞅着滑腻腻的楼梯，望着破玻璃窗上随风飘荡的蜘蛛网。

✻劣酒、假药、坑人、骗人、害人，这人世间怎么了？我气得说不出话来，气得头顶冒烟。

✻我非找他算账不可，怨恨在胸中滋生着，气恨难忍了。

✻他立刻瞪起眼睛，眉毛一根根竖起来，脸上暴起了一道道青筋，像扑鼠之猫盯着我。

✻真是个狼心狗肺的家伙，我对她的怨恨越来越强烈，我发誓：至少恨她一个月。

✻当时，我的脑袋“嗡”的一声，愤怒的火在胸中燃烧，我恨不得端起冲锋枪……

✻谁也惹不起他，我们只好忍气吞声，敢怒不敢言。

◇华彩语段

✻妈妈的爱谁也不能代替，那是在一个夏天，因为我没有和小弟弟去玩，自己去做作业，继母打了我一顿，我发疯般地冲出家门，心想：“妈妈，你怎么这样不理解我，我的功课还没完成，你竟让我哄弟弟，太不公平了”。

✻低年级的几个同学用惊讶的眼光看着我，我无法控制自己，我要用哭来使全世界的人都知道，我是被人误解的，我受了委屈，遭到了侮辱，蒙受了不白之冤，同学们都错怪了我……

✽开头，她吃了一惊，害怕起来，脸色煞白……接着，她的恐惧变为忿怒，她忽然满脸绯红，一直红到了耳根，两眼盯住了这个侮辱者。同时，这双眼睛变暗了，突然闪烁一下，又变得漆黑，接着燃起了不可遏制的怒火。

✽那是我上五年级的时候，一次数学单元测验又得了59分，快吃晚饭时，妈妈得此消息，气冲冲地撂下筷子，“啪——啪——!”劈脸就给我两个又响又脆的巴掌。这还不够解气，妈妈又将那考卷揉成一团，狠狠地摔在地上，指着我说道：“像你这样的成绩还考什么重点中学，恐怕连普通中学都不肯要你。”我不敢做声，只是捂着发痛的脸，眼泪不禁夺眶而出，扑簌扑簌地掉下来。

✽电视中报道的那些弄虚作假的画面一出现，我的肺都气炸了，棉花包里竟掺些砖头石块……看后，我的心情久久平静不下来，气恨难消。我想，将这些害人的家伙抓来，枪毙了也不解恨……怒火在我的胸膛燃烧着，烧得我怒气冲天。

✽他们的声音越吵越大，越吵越不像话。这时爷爷的脸变得铁青，嘴唇直打颤。坐在一旁紧皱眉头，一直沉默不语的爸爸再也忍不住了，大声说：“你们别吵了，我看你们不是没钱，而是怕用钱……”这时，爷爷也愤愤地说：“太不像话了，你们不也有子女吗？……”爸爸和爷

爷的话说得表叔和表姑哑口无言，脸色非常难看。

✽他坐在教室的角落里，蜷缩成一团，无声地抽泣着，我为他的境遇愤愤不平。我想：他虽然智商低，又笨又迟钝，可他也是人啊，也是同学啊！他不是一个靶子，不是一个沙袋，更不是任人耍戏的猴子……同学们，早一点停止你们愚蠢、野蛮的行为吧！

✽我心里在想：如果我是护士，一定雷厉风行，绝不会这样拖拖拉拉，懒洋洋的样子。因为这是白衣天使的职责啊！护士阿姨，你这是怎么了？你知道吗？这孩子很危险啊……我真想让你也得一场大病。唉，被人冷落可真不是滋味呀！

4. 惊　惧

◇精美词语

惊魂　惊醒　恐惧　恐慌　畏惧　畏怯　畏避　疑惧
畏难　胆战　胆怯　胆寒　慌乱　慌忙　慌张　慌神
惊惶　惊慌　惊骇　惊愕　惊诧　惊异　惊讶　惊险
惧怕　害怕　可怕　心惊　吃惊　悚然　打颤　发抖
惊扰　惊人　惊吓　惊惧　惊悸　惊恐　畏缩　惊奇

◇常用成语

触目惊心　畏首畏尾　惊恐失色　惊慌失措　惊恐万状
如鼠见猫　惶惶不安　胆小怕事　风声鹤唳　草木皆兵

视为畏途　谈虎色变　闻风丧胆　胆小如鼠　战战兢兢
心有余悸　杯弓蛇影　惊弓之鸟　惊魂未定　畏缩不前
惊天动地　惊喜交集　心惊肉跳　胆战心惊　大惊失色
惊魂未定　提心吊胆　疑神疑鬼　惴惴不安　魂不守舍
失魂落魄　心神不安　心神不定　望风而逃　人心惶惶
毛骨悚然　不寒而栗　面如死灰　面如土色　直冒冷汗
魂不附体　大惊失色　大呼小叫　慌慌张张　丧魂落魄
忐忑不安　惊悸不安　魂飞魄散　如坐针毡　坐卧不安
诚惶诚恐　六神无主　神色不宁

◇绝妙句子

✻我心里坦然，但不知怎地心里却突突地一阵急跳，心想她不要怀疑我，越想越急，心越跳得厉害，脸也红了，我连忙低下了头。

✻我规规矩矩地站起来，声音很小，还结结巴巴的。我心里直嘀咕：坏了，我非挨批不可。

✻我的心一下子提到嗓子眼儿，我吓坏了。

✻妈妈也把行李抱上，竭力挡住了我，我在“防空洞”里憋得真难受，每时都提心吊胆，生怕“敌机”飞来。

✻我胆怯地低着头，不敢看爸爸那张阴云密布的脸。

✻他两眼发直，连连自语，又惊又怕，双腿也不听使唤，像筛糠似的乱颤起来。

✽我生怕舵轮滑掉，心突突地跳，手心里都出了汗。

✽她的眼眉撩起，眼睛睁得大大的，痴呆呆地望着。

✽冉阿让大吃一惊，门臼的响声，在他耳朵里，就和末日审判的号筒那样洪亮骇人。

✽老头愣住了，胡子缝儿里没牙的嘴张成了一个黑洞，那发红的眼睛也瞪圆了。

✽他停下来，浑身哆嗦，不知所措。

✽她脸色苍白，毫无表情，我一阵心惊肉跳，惶恐不安。

◇华彩语段

✽进了手术室，首先映入眼帘的是铺着白色床单的手术台。我穿着白色的病号衣，仰卧在手术台上。房顶上挂着白色的无影灯，医生、护士站在一边。他们都穿着白色的手术衣，戴着白色的帽子，微微擎起的双手戴着一双透明的橡皮手套。啊！一切都是白色的。我似乎被笼罩在一个白色的世界之中。手术室里散发出阵阵刺鼻的药气味，使人感到害怕。那蘸了消毒药水的棉花，一擦在肚皮上，觉得特别冷。一惊，止不住打了个寒噤。

✽大道上，一个人影也没有，只有月亮伴随着小虎子回家。小虎子向前后左右望了望，周围黑洞洞的，他心里渐渐打起小鼓来。他站住了，望望四周，摸摸红领巾，学着解放军叔叔走路的样子，一边向前迈着大步，一边鼓励自己："不怕！"走着走着，他想起刚才看的电影里敲梆老头被害的情景，呀！那夜也是这样黑，那坏人的黑影，使人胆寒的凶器在他眼前闪现。他望了望月亮，皎洁的月光，此时也仿佛变得寒森森的了。虎子的心一下子"怦怦"地猛跳起来，额上渗出了冷汗，脚步越走越快，渐渐地飞跑起来。他一边跑，一边说："我不怕！我不怕！我……"大滴大滴的汗水洒落在路上。

✽穿着白大褂的医生来到教室，我的心急剧地跳起来，我是第一次打预防针。我把胳膊伸出来，心跳得更厉害了，我真有点害怕，那么长的针……

✽我倒是镇定自若地坐在凳子上，可看到十几双眼睛投来的目光，我有些发慌了，心胸间仿佛揣了只兔子，急促地跳动。此时，妈妈向我投来了鼓励的眼神，我这个胆小的孩子居然镇静下来了。可是灯一亮，在强烈的灯光照耀下，甭说笑，连眼睛也难以睁开。

✽"咚！咚！"我的心一下子提到嗓子眼儿，我吓坏了。这时我多么希望爸爸妈妈在身边呀！怎么办呢？我不敢去外屋，先前那点勇气全没了。急忙用被单蒙住了脸。

✽那是上四年级的一个星期天，我清早起床，睁着朦胧的睡眼去拿暖瓶倒水喝，谁知暖瓶刚到手，就被我不小心弄到地上摔碎了。望着满地的碎瓶胆片，我紧张得张开了嘴巴，呆呆地立在那儿，心里忐忑不安，万一爸爸回来

发现了，准会狠狠揍我的。

5. 憎 恶

◇精美词语

憎恶 憎恨 厌恶 厌烦 厌弃 仇恨 可恶 痛恨
嫌弃 可恨 恶心 讨嫌 讨厌 腻烦

◇常用成语

气恨难消 遗恨终生 爱憎分明 鄙夷不屑 深恶痛绝
忍气吞声 愤世嫉俗 冤家路窄 令人恶心 含恨而死
面有愠色 厌世恶俗

◇绝妙句子

✽我心中有一股气总消不了，是一种怨，又是厌恶。

✽我没吱声，心里却骂："替他们辩护，还不是卖弄自己。谁都知道你是初三毕业又转到这里插班的，原名叫卞秋妮。美得不轻，偷顶人家的户口，不就仗着上边有人吗?"

✽同学们见了我都窃窃私语道："你看咱们的丑八怪出家当和尚了。"接着就是一阵笑声。

✽一个比我大两岁的孩子，眨巴着眼睛问我："哟，你到哪国去拣了羊粪蛋儿吃了，才学回这话来?"

✲一阵胭脂粉味向我扑来，像要把我淹没似的，我感到恶心，脱口而出："讨厌！"

✲一种说不出的厌恶，突然塞满了吴老太爷的心胸，他赶快转过脸去。

✲刚才，好像高敏如在跟她讲什么，一脸得意洋洋的样子，这种人，呸，真恶心。

◇华彩语段

✲"信不信由您。"我心里说，"这帮同学没个可爱的，瞧刘平那长相，小鼻子小眼儿，一肚子鬼心眼；那个侯健，出入教室准不关门；罗滔张嘴就是脏话……再看教室，三行桌椅犹如犬牙交错，教室后面的扫帚、簸箕东倒西歪……我爱得起来吗？"

✲房内是那样零乱，一切仿佛添上了灰暗的色调。他的目光停在爸爸写字台中间的那个抽屉上。就是这个该死的抽屉，藏着赌款、赌具！简直是罪恶的象征。他下意识地举起拳头，恨不得一下子把它砸个稀巴烂！"啊，可耻！可耻！"他双手捂着眼睛，冲出了房门。

✲不知什么原因，白莉的一言一行，一举一动，甚至穿着打扮，赵芳都看不入眼，心里感到腻烦。小小年纪，学着时髦女郎的一套装模作样，嗲声嗲气，像啥样呢？女孩子应该自重，不应该这样轻佻。你看她抹口红，染指甲，袒胸露背，花里花俏，人不像人，鬼不像鬼，真不是个正经货色！赵芳在心里想着，厌恶地吐了口唾沫。

✽不等我分辩，同学们的冷嘲热讽便劈头盖脸倾盆而来：

“亏他干得出来！”

“偷了人家的东西还像没事似的。”

“那当然，人家是此道的老手了！”

6. 愧　疚

◇精美词语

懊悔　懊丧　忏悔　后悔　惋惜　痛惜　自责　羞愧
愧疚　愧色　愧悔　悔恨　悔改　悔罪　悔过　悔悟
追悔　内疚

◇常用成语

悔之晚矣　引咎自责　内心有愧　深感内疚　心灵负疚
无地自容　又愧又悔　知愧必悔　无脸见人　于心不安
面有愧色　羞愧难言　悔不当初　悔恨交加　追悔莫及
自知有愧　自惭形秽　心虚理亏

◇绝妙句子

✽泪水落到我的脸上，我这时可后悔了，我不该惹妈妈生气。

✽老人连续不断的道谢声撞击着我的耳膜，我觉得脸上的血液几乎达到沸点……

✽她只觉得内心发热，脸发烫，那双大眼扑闪闪地，泪珠子像断了线的珠子一样，从眼角扑簌簌地流了下来。

✽我面对黑夜，面对寂静，虔诚地忏悔着。

✽她那双泪汪汪的眼睛更是让我这颗内疚的心不能平静。

✽这天晚上，我怎么也睡不踏实，心里好像压了一块石头，生怕老师看出来。

✽她的眼睛湿漉漉的，猛地一下，她转过身去，将头靠在墙上，抽动着肩膀呜咽地哭起来。

✽内疚、懊悔敲击着我的心，翻来覆去睡不着。

✽我心里却像吞了一颗青梅，酸溜溜还带点苦味儿。我低垂着，生怕别人看见自己的难堪的表情。

◇华彩语段

✽于是，爸爸向我讲述了大胡子伯伯的英雄事迹，我听了，心里像打翻了五味瓶，说不上是什么滋味。

✽可是又转念一想，小时候奶奶是那样关心和爱抚我，一把屎一把尿地把我拉扯大，如今我却嫌弃她老人家脏，是那么不应该啊，顿时脸上热辣辣。

✽天啊，我到站了！这时候让座意味着什么……我为什么现在才让座？我配受“谢谢”二字么？我还能治好病过个快乐的假期么？我好像挨了当头一棒，呆呆地站在汽车腾起的烟尘中默默地问我自己，久久迈不开……

✽记得那年我3岁了，爸爸带我回老家过年，我哭闹着不喝那泥水，奶奶为了给我澄清一碗水，大盆倒在小盆，小盆倒在碗里，折腾了五六个来回，碗底还有泥，我赌气一天不喝水，没办法，爷爷背着我到十里外的腰宅驮回了一担井水……现在每当我想起这件事，脸上总是发烧。

✽望着这块失而复得的电子表，朱丽萍的心头涌起一阵愧疚的思潮。“好姐姐，我错怪你了，我对不起你！”她自言自语，两行清泪，不觉夺眶而出，滴在表面上。她深悔自己胡乱猜疑，冤枉好人，给自己和梅珍姐姐的真挚友情蒙上了一层阴影。她下定决心，无论如何，要向梅珍姐姐道歉，请她原谅。

✽这几天，我一直闷闷不乐，一见到您，脸上便热乎乎的，总像做了什么亏心事似的。一见到卷纸上的“100”分，就像我偷了人家的东西，我不该隐瞒自己的真实成绩啊！这样做既欺骗老师又欺骗自己。我后悔为什么当时不跟您说呢？老师，您能原谅我吗？

✽我马上调兵遣将，但已无济于事，晚了一步棋。我追悔莫及，头轰地一下子涨了起来，脸上的汗珠也掉下来了。我羞愧中想起了一位名人的话：“自满、自高、自大和轻信，是人生的四大暗礁。”我要永远记住这次教训。

✽望着身边空着的座位，我脑海里翻腾着，如果我当时坚持制止他，如果我的气量大些，不是听了几句逆耳的话就撒手不管的话，东东也就不会从楼上摔下来，同学们和老师也就不会那么焦急，那么难过了。真是后悔莫及，要是早知道今日，又何必当初呢？我一想到他在医院的病床上忍受痛苦，一想到他至今还没脱离危险期，一想到他的父母远在新疆还不知道，我就要责骂自己，甚至想打自己。我闭上眼睛，仿佛看到了守护在病床旁的老师偷偷地抹着眼泪；仿佛看到了同学们一双担忧的眼睛；仿佛听到了东东痛苦的呻吟……

✽不知是什么原因促使我反复读着这一段，读着读着，我的心怦怦直跳，我多么惭愧呀！难道手术后的按揉，不比仰卧起坐疼几百倍、几千倍吗？为什么张海迪能挺得住万分疼痛，而我却不能坚持仰卧起坐？如果我总这样娇气，锻炼不出一个好身体，怎么能更好地为祖国作贡献呢？

✽虽然，在表扬优秀干部的名单时有我的名字，但是我觉得这只是对我的一种安慰罢了。我发现周围的同学都在用异样的眼光看着我，那眼神像针扎一样刺得我难受极了，我再也没有勇气抬起头来……

7. 其 他

◇精美词语

气馁　沮丧　落空　无望　理想　遐想　梦想　幻想
畅快　坦然　恬静　宁静　甜蜜　顺畅　宽心　欣慰
意愿　志愿　夙愿　盼望　企及　企求　希求　企图
甜美　快乐　如意　惬意　舒适　轻松　自在　得意
指望　企望　巴望　众望　憧憬　怀念　痴迷　闪念
绝望　失望　失意　伤心　灰心　寒心　死心　消沉
渴望　渴求　希望　欲望　期望　盼望　追忆　回忆

◇常用成语

如愿以偿　胸有成竹　怡然自得　万事如意　泰然自若
心安理得　心平气和　心想事成　悠然自得　高枕无忧
朝思暮想　魂牵梦绕　昼思夜想　痴心梦想　梦寐以求
心旷神怡　心花怒放　其乐融融　望眼欲穿　望穿秋水
万念俱灰　灰心丧气　大失所望　心如死灰　悲观失望

◇绝妙句子

✽这时，您非但没有责怪他，反而亲切又和蔼地说：“你别害怕，也别紧张。就是回答错了，老师也不会责备你。”

✽我盼啊，盼啊，终于等到放假了。我是多么高兴啊！可是一年过去了，两年过去了……直到现在，妈妈也没来看过我一次。

✻它努力地瞪大眼睛，满怀希望地盯着窗外，盯着它曾婉转高歌过的绿色枝头，盯着白云悠悠飘忽的蓝天……

✻小时候我被小猫吓哭了，哥哥总是替我抹眼泪，还说："楠楠，不要怕，看我打死这个大坏蛋。"

✻我想了很久，我渴望快点长大，翱翔在广阔的天空之中。

✻说实话我心里早就在"倒计时"了，美美地期待着。

✻看见我进来，笑呵呵地向我说："饿了吧？早上吃得太少了，快洗洗手吃饭。"

✻妈妈说："俗话说得好，'远敬衣帽近敬人'，这次你可要买身好西服穿上，免得别人看不起。"

✻噢！凉风啊，愿你能吹散我妈妈头脑里对我的偏见。

✻先是脸热、心跳，后来就服贴了。老师批评我是爱护我。我这样一想，倒心安理得了。

✻说实在的，整个上午我连课都没听好，这枚神秘的邮票变换着图案，总在我的脑子里转悠。

✼望着这巨大的玩具，我心里怪痒痒的，多想坐一坐摩天轮啊！

✼我静静地躺在床上，期待着，我盼望着那美好的一天早日到来。

✼晚上，我做了一个梦，梦见我正坐在实验室里用显微镜观察昆虫的奥秘呢。

✼高兴了大半夜，第二天起床一看，满天的大雨，我站着发呆了，哪也去不成了，大失所望。

✼路灯放出柔和、桔黄色的光，我漫步街头，心想，路灯不管风吹雨淋，它都为行人照明。

✼她主动来关心我，我真有些害羞，我想起对她的冷漠来了，唉，我怎么了？

✼我望着他们那一张张慈祥的面孔，心里像开了锅的水……

✼刘老师的话，字字句句像铁锤一样，一下一下打在我的心上。

✼女排又输了，而且输得很惨，我没有话说，中国女排那拼搏精神哪去了？

✽怎不叫人心驰神往呢？啊，那条美丽蓝色的河，那缥缈的碧绿山野的白屋……

✽这件事就像是我在长满荆棘的路上采摘的一颗苦果，我嚼着它，让它那苦苦的汁液刺激着我的神经。

✽“天啊！我们这些大傻瓜、笨蛋！都干些什么蠢事？上当受骗了！”我的脑袋简直炸开了，大颗的泪珠滚了下来。

✽小孩子有无数的心里话，却不敢真实、大胆地告诉家长。

✽记得一次语文课，老师提了一个问题，我会回答可又不敢说，手一会儿举起来，一会儿又放下。

◇华彩语段

✽正想要伸出手来拿那一本厚厚的参考书来准备明日将来临的考试时，顿然觉得双臂有如千斤重般地抬举不起，等到朗诵声四起时，我早已记不得我到底是使用几个动滑轮、几个定滑轮将那双大吨位的手臂高举起来了。

✽那天晚上，我的心久久不能平静，妈妈的话不时地回荡在我的耳边：“大雁长大了也要离开自己的妈妈，自由自在地翱翔于天空，去寻找自己的美好生活，你要向大雁学习呢！”我反复咀嚼着妈妈说的话，多有道理呀！我想了很久很久……我渴望快点长大，翱翔于广阔的天空之

中。

✻我回到自己的房间，一直闷闷不乐，我怎么能乐起来呢。唉，爸爸，你怎么这样不听劝呢？你一回家就去搓麻将，三更半夜回来，全家人都睡不安。你熬了夜，输了钱，百害无一利呀！你以前可不是这样的，那时你爱家，爱我，工作也好，妈妈也舒心，如今，你心里还有这个家吗？还有我这个女儿吗？……爸爸，我真的心灰意冷了，我觉得前景已化为泡影了，我真失望啊！

✻又是一个风和日丽的星期天，我又神气地带着“土枪”打野仗了，那“土枪”，我觉得比什么鸟枪都好，真好。

✻我相信，只要坚持认真练习，我的字一定会写得越来越好的！——可是，我的形象是不是也能变得好一点呢？

✻我体会到了，我的妈妈和别人的妈妈爱孩子的方式不一样，我的妈妈爱的方式是用嘴。我爱妈妈，我爱妈妈那种咬，啊！妈妈，您能慈爱的多咬我几次多好哇。

✻近了，近了，一座孤零零的小坟出现在我的眼前，小语倩，这难道就是你的归宿吗？你这一朵还没绽开笑脸的小花就这样凋零了吗？伞从手中滑落，泪水夺眶而出，泪水和着雨水向下流；我捧起一把油黑的泥土，献上我无限的哀思。朦朦胧胧中，我仿佛看到在不远处的桃花丛中，小语倩在向我招手，还传来一串银铃般的笑声……

✽天越来越冷了，没法子，我只得硬着头皮穿上布棉鞋。这是我第一次穿布棉鞋上学，一路上，我的心弦紧绷，如同上紧了的发条。我心里直犯嘀咕：同学会说我什么？嘲笑我？哄我？还是……不料大家一下子把我围了起来，不但不嘲笑我，还赞扬说："穿布鞋就是好，暖和，轻便，又省钱。"我穿布棉鞋上课、跑步、做操暖烘烘的，再也不觉得它寒酸了，心里舒坦极了。

✽这时，有一颗灿烂的流星划破夜空。"多美丽的流星啊！"我们不禁赞叹起来。在星空的怀抱中，我好像乘上了飞船，在太空遨游探索，我把五星红旗插上了各个星球……这一切，好像是遥远遥远的未来，又像是在眼前，等待我去实现。夏夜的海滨多么美好，星光多么璀璨啊！夜里我想了许多许多。

✽早晨，我坐在桌前背英语单词时，战士们或许正在炮火中拼杀吧！晚上，全家人围坐灯下共享天伦之乐时，战士们或许在边防线上站岗放哨吧！只有那皓月和群星陪伴着他们……我想，我们安宁的学习环境及幸福生活是英雄们用热血和生命换来的啊！他们无私、无畏、忠于祖国，即便用尽世界上最华丽的词藻也无法描绘。

✽老师！你不是我母亲，却胜似我母亲！在那短暂的几天里，我感受到亲切和慰藉。老师的爱，像一把熊熊燃烧的火炬，照亮我学习的前程，我将终生难忘。

✽我连忙支撑着爬起来，透过窗户，目送着老师走

去。这时，我忽然感到：老师的身影不是越走越远，越走越小，而是越来越近，越走越大；她那颗火热的心，放射出灿烂的光芒……

✻我决定送一份生日礼物给爸爸。送什么呢？生日卡，花束？太俗气了吧！洋娃娃？爸爸又不是小孩子，唉！到底送什么呢？啊！有了。爸爸是一个在困难面前坚强不屈，在生活中充满幽默感的人，每天晚饭后，他一打开爱讲笑话的嘴巴，家里就充满了欢乐。如果送一盒杨达、黄俊英的相声录音带给他，他一定会喜欢的。嗯，就这样吧！

三、语言描写

◇精美词语

讲 说 谈 喊 叫 呼 吟 读 诵 问 答 训
夸 辩 骂 吼 劝 告 评 议 述 赞 颂 责

解释 责备 嘲讽 赞扬 安慰 关心 对话 炫耀
生气 批评 招呼 争吵 辩论 尴尬 激励 发言
说话 谈话 讲话 叙述 陈述 复述 申述 说明
声明 详说 演讲 哭诉 问候 训示 教导 笑谈
俗话 婉言 危言 黑话 忠言 疾言 说服 略说
报告 汇报 教育 演说 大喊 指言 高叫 称赞
唠叨 拉呱 叙旧 寒暄 告诫 安抚 朗诵 控告

◇常用成语

哑口无言　血口喷人　语句重复　语言贴切　言无不尽
口吐狂言　信口雌黄　信口开河　言犹在耳　言听计从
口若悬河　口角生风　口吐莲花　口严心慈　口快心直
声音嘶哑　声色俱厉　语句重复　言而无信　声嘶力竭
说长道短　乱说一气　瞎说一气　胡说八道　指桑骂槐
结结巴巴　油嘴滑舌　大叫大嚷　大肆叫嚣　吞吞吐吐
言不中听　声音圆润　声音清晰　声音清脆　七嘴八舌
油腔滑调　金口难开　血口无言　矢口否认　有口皆碑

◇绝妙句子

✽人们都说："妈妈是孩子的第一任老师。"

✽爸爸指着一棵小柳树对我说："它长得直吗？""不直。"我说。"人和树一样，应该长得直啊！"爸爸边说边看我。

✽毛岸英不解地问："别人都可以去政务院工作，为什么我不行？"毛泽东干脆地回答："因为你是我的儿子！"多好的回答。

✽看见小白马一边吃大葱，一边被大葱呛得直打喷嚏，郝奇奇觉得对不起小白马。"我给你换份白菜。"

"不用了，这是我到地球上吃的第一顿饭，可香啦。啊——欠！"

✿他的手垂下去了，纸船儿滑到地上。

✿她的声音仿佛在池塘上飘。他思索着。

✿她说话的速度猛然加快了："给我五年的时间，等到五年以后，我也许就能明确地回答你了。"

✿妈妈"砰"地一声打开了门，对站在门口的女人说："进来吧！我们在打猪耍哩！看新买的盆子结实不结实。看，挺结实，摔不破，还是这盆子结实！"

✿"都不是，你听，她夸我懂礼貌，见谁喊谁，还夸我会吹口哨。这不明明是夸弟弟吗？"

✿爷爷停了停，指着北边的天空说："你看，那 7 颗星，连起来像一把勺子，叫北斗星……"

笑声刚刚平息，又有人悲天悯人地说："唉，世上怎么就少了个伯乐呢，否则，以穆先生的文笔，冲出地球，走向宇宙是完全不成问题的。"

✿"哼，从来没教过你们这样不认真的学生！作业书写差得恼火，乱七八糟，不像话。上课发言不积极，特别是许多女同学，唉……还有，一点儿都没有勤学好问的作风，从前我教的学生，下课就围着我问这问那，你们呢？哼！我懒得管你们了！"

✿升级的老同学，见了我的面以后，爱弯下腰仰着头瞅我的下巴，然后煞有介事地惊呼：“哎哟哟，这老留级生，怎么没长出胡子来呢！”

✽“哼！还是先处理一下你的‘披肩发’吧，否则别人还以为我领女朋友逛大街呢！”

✽“嘻嘻！原来是个小妞儿。”“鼻涕王”用手指揩了一下拉长的鼻涕，阴阳怪气地说。

✽再磨牙也没有用，奶奶无可奈何地把两捆报纸提了回来，嘴里嘟嘟囔囔地说：“哼，把报纸剪得七零八碎，连收废报的也不要了，这不浪费吗！”

✽那中年男子好像明白了小姑娘的心意，便收回钱，边走边称赞：“看不出，这女孩子还很有人情味哩。”

✽“什么？六年级？嘿，你真行呀！”他们用惊叹的口气对爸爸说：“真没想到，你儿子长这么大了！长得真像你，简直像极啦！”

✽妈妈抚着我的头笑着说：“孩子，秋天到了，树叶都要掉了。等明年春天一到，它又会长出许多新的绿叶子，要不这样，它就会长不大的。”

✽妈妈叹了口气说：“又是画画！你考进去了干嘛还要苦苦地画个没完没了？看都把你瘦成这个样子了！”

✽我轻轻地叫了声“爸爸”，只见他用虚弱的目光望

着我，我接着说："爸爸，你怎么了？你病了吗？说话呀，爸爸。"

✽妈妈又恼了，没好气地骂道："你这个浆糊脑袋也不想一想，如今这日子，一家一户，各干各的，挣一文是一文，积一分是一分，左邻右舍，上厨下灶，哪家子的后生还愿去当兵白卖力气啊！你别多嘴，孩子是我身上掉下的肉，我管定啦！"

✽于是我问："爸爸，你买酒干啥？""哈……"爸爸大笑起来，"'人逢喜事精神爽'，我心里高兴啊，去叫你李伯伯来喝两杯……"我赶紧说："是什么喜事？昨天夜里你……""你的耳朵真尖。"爸爸又笑了起来，但没有告诉我。

✽相邻的一位大嫂提出了"抗议"："洗几条被单，就这么了不起？你看我洗的都是些尼龙纹啦，的确凉，毛料子衣服啦……"

✽"还是滑稽戏好，明白，开心，这东西不知在讲个啥。"父亲嘟哝着。

✽叶老师笑了："别人说你没有人格，你就动手打人，这样就能证明你有人格了吗？"

◇华彩语段

✽一次，奶奶意味深长地对我说："过去，我家穷，没钱上学，解放后，我在街道上了识字班，总算认识几个字，会写字了，以前还觉得不错，可现在发展这么快，我连广告都不认识，连东西的价钱也看不懂……真是睁眼瞎呵！”

✽她语重心长地说：“你看，10个指头有长短，你的长处是读书，短处是动手操作。你不能因为有了长处而骄傲，也不能因发现了短处而自卑。现在你知道了自己的短处，应尽力改变它，使它变成长处。”

✽“好了，总之我希望那个人自觉站起来，当着大家的面承认错误，我就不追究了。孟云一向成绩拔尖，若是发生那样的事情，会影响学习，有百害而无一利。所以我请那个人自觉地站起来！”“不要侮辱别人！”孟云哭着站了起来，“请把信还给我！”“孟云，老师知道你是个好学生，不要难为情，这——你也不知道要发生这样的事情！”

✽突然她眼里溢出了愉悦，大声叫着：“毛毛，毛毛，妈妈在这儿，毛毛……”一个高高大大的男孩子羞红着脸从伙伴中挤出来，口气生硬地说：“叫你别来，你来干吗？”“毛毛，考题难吗？噢，吃冰砖，妈妈在这儿等了半个多钟头了。吃吧，热不热？考场里有没有蚊子，你……”“烦死了，我要和同学去吃晚饭，你自己回家吧！”男孩子甩甩手，去追那帮伙伴，留下母亲捧着融化了的冰砖，怔怔地站着……

✽在星期天的早上，我还没有起床，她就起来了，她指着我的脸说：“大懒汉，太阳都出来了还不起床。”气得我说：“少管闲事，出去！”这下她可生气了，噘着小嘴，

仍然说不清：“多多（哥哥）大坏蛋，偷吃老爷大米饭。”又说：“我再也不跟你玩了。”

✽妈妈开导我说：“锐儿，得饶人处且饶人，可别得理不饶人啊！别发火了，看书去吧！”

✽我责怪奶奶太爱管闲事了，可奶奶却淡淡地一笑，说：“客人从外地来上海一次不容易，我们就原谅原谅吧。做人不该光想自己，还应多为别人提供方便。”

✽“嗯。我在学校里考试总得第二，比第一名只差几分呢！我不愿退学，妈就把我的书包藏起来……老师怎么劝也劝不了她，就嘱咐我，退了学也别忘了学习，以后有了机会还让我复学。可是，我只有几本书，不够学……”她说着，眼里闪着亮晶晶的泪珠。

✽那李大嫂双颊微红，细声应道：“其实，我也没有什么东西要洗，自行车垫套、电视机罩、缝纫机罩、沙发套……都是些不显眼的东西。”

✽“菊儿，别哭了。爸爸向你道歉，刚才是我的错。”不知什么时候，爸爸坐在了我身边。“我看了你的成绩单和班主任的评语，才知道你在当班干部的同时，把学习提高到了第三名。说明你有能力当班干部也有能力搞好学习。爸爸以前以为当班干部就不能搞好学习的思想事实证明是错误的。下学期，我不再干涉你了。”

✽我对爸爸说：“爸爸，现代人的经济观念都更新了，什么第三产业、第二职业、‘下海’、打工……咱们家可不能落后呀！您和我妈也‘下海’溜溜吧！”

“唉呀！不行！不行！我‘下海’非被鲨鱼吃了不可。不过……咱们家是不能落后。”爸爸半开玩笑半认真地说。

✽“难道你还比不上古代三步一磕头上山拜佛的人吗？你脚下的路是筑路工人用血汗开成的。登山不畏难，畏难不登山。”爸爸激励着我。这时，赶上来的一位老人也帮着爸爸说服我：“小朋友，怎么不走啦？‘欲穷千里目，更上一层楼’。古人这句话说得多么正确！你要看到九华山全景，就必须登上山峰顶。走吧！咱们一起上。”听了父辈们的教诲，我激动万分，疲劳顿时消失了大半，跳起来继续前进。

✽“爸，你又买了一个树根呀？是不是用妈妈给你买烟的钱买的？”爸爸没答话，却从兜里拿出两块巧克力塞给我说：“建建，给你！别告诉妈妈。”接着，爸爸怪腔怪调地学着戏里人说：“大人，饶命呀！”

✽我激动地说：“吴伯伯，所有的干部都跟您一样就好了。”吴局长谦虚地说：“抵制不正之风，每个人都有责任呀！”这位老党员的肺腑之言，像一阵春风吹进了我的心田……

✽回家的路上，爸爸开导我说：“牛是人类的朋友，它辛勤地耕地劳作而不知索取，我们要学习这种默默奉献的精神，而牛的那种顽强拼搏和勇于向强者挑战的精神更值得我们学习。不论做什么，都要有牛那一股韧劲、拼劲

……”听了爸爸的话，我明白了不少道理。

✲爸爸拿过笔，写了几个字给我做示范，又教导我说：“写毛笔字嘛，一横就是一横，一竖就是一竖，横要平，竖要直，不能断断续续。但也不要平均用力，毛笔字的粗细长短，都是靠毛笔的左右运转和提压的力量变化的。

✲他不作声了。他脸上的表情变化得很快，这表现出来他的内心斗争是怎样地激烈。他皱紧眉头，然后微微地张开口加重语气地自言自语道：“我是青年。”他又愤愤地说：“我是青年！”然后他又怀疑似的慢声说：“我是青年？”又领悟似地说：“我是青年。”最后用坚决的声音说：“我是青年，不错，我是青年！”

✲一位操 着天津口音的老爷爷说：“孩子，你跟那些专门做坑人买卖的坏家伙比，真是个厚道的姑娘啊！”刚才那位抱不平的阿姨也说：“小姑娘，你的心眼真好！要是我，怎么也得骂她两句。”小姑娘红着脸说：“来时俺娘就嘱咐我，昧心的钱不能赚。”

✲我没好气地大声说：“添哪家子乱！冰盘上的毛毛虫，越恶心越动弹。名牌带次品，小商贩的把戏也让电视台学来了！”

✲爸爸本是很有耐性的人，但也经不住妈妈这话中带的刺儿，便不软不硬地回敬几句：“电视广告，那是社会文明。不懂文明的人，让他天天看《红楼梦》，也难免越

看越浑。”

妈妈在嘴上是轻易不让人的，便拉长了腔调，连烧带燎地说：“爱看吹牛的人，损人不带脏字，大概都不是类人猿变的，是胎里带来的文明！”

✿爸爸终于经不住妈妈的纠缠不休，需要认真对付一下子。他顺手找来妈妈新买的一袋洁银牙膏，指着妈妈的脸问：“这东西是哪位买来的？是不是广告里听来的？很可惜，那些反对吹牛的人，离开人家吹牛还寸步难行呢。”

✿显然妈妈只剩下招架之功而无还手之力了。于是文不对题地说：“那凤凰大链套从来没上广告照样是名牌。”

✿妈妈也放下手中的毛线活儿，搭上了话茬儿：“广告广告，吹牛放炮；响儿越大，东西越孬。”但是，旁座的爸爸对那些乱人耳目的吹牛，正看得有滋有味儿。妈妈扫了爸爸一眼，便不凉不热地说：“爱孙猴猪八戒，各有一好。你不爱听，可有人还上了瘾。就算是狗打架，照样有人捧场嘛。”

✿忽然，门外进来一位中年妇女。她焦急地说：“红红，你家有扁担吗？”“有。”小红爽快地答应：“婶婶，您要扁担干什么？”那位中年妇女叹了口气，说：“哎，真倒霉，才挑了几担稻谷，扁担就断了。”话音刚落，小红像一阵风似的跑进屋里，拿了一根新扁担说：“给。”中年妇女一看，是一条新扁担，就故意问：“断了要赔吗？”“不要赔！”小红干脆地答道。

✿一提起我们的李老师，嘿，老师、同学、家长没有不竖起大拇指的，没有一个不称赞的。正像一位家长说的："李老师，够格！没比的！这样的老师，打着灯笼也难找啊！"

✿她没有拒绝，但却忧郁地别过头去。"我不拒绝，可也不愿意。这两只小船儿太小了，可不是？还没下过水呢！它们能够确定自己的目标吗？它们能知道对方的目标并且永远行驶在一条航道上吗？"

✿"它们现在互相喜欢着，不错，可仅仅喜欢是不够的。"她继续缓缓地说："如果有一天它们猛然发觉自己所需要的同行者并不是对方，那时又怎么办呢？"

✿我没有写作文，心里正忐忑不安，恰好老师知道了。王老师把我叫到一边说："刘鹤，我想你心里有事，你没写作文吧。老师留作文是给你创造一个机会，培养你的能力，你呢，要抓住机会，锻炼自己。学习愈好愈要多写多练，你一定明白：骄兵是打不了胜仗的。

✿"爸爸，妈妈，你们中午吃山芋！""这有什么奇怪的？"爸爸晃着手中的山芋说着。"那，你们每天中午就吃山芋？"妈妈笑着说："傻丫头，哪能天天吃山芋，昨天下面条，前天吃菜饭，换着来。你知道，用炉子又烧饭又烧菜挺费事的……"

✿舅舅似乎看出了我的心思，眯起眼睛笑着说："嗬，我的小外甥，你感到很新鲜吧！"接着，又意味深长地说：

“以前，我们农民吃‘大锅饭’混日子，一直富不起来。如今，政策变好了，实行了生产责任制，政府准许我们搞家庭副业，你舅舅家和别人家一样，也富喽！”他夹了块肉，津津有味地吃着，说：“往后哇，你来我家不会再用黑麦饭和茄子柄来‘招待’你喽！”他说完，大家都笑了，屋里充满着欢乐的气氛。

✻哥哥轻声地安慰她：“不要紧，让他们去说吧！我们走我们的路。大学，我还是要上的……小妹，快回家吧！”哥哥又重新背了背书包，大步地走了。

✻这次，我期中考数学考了66分，开天辟地第一回。我差点哭了，放学后低着头往家走，背后有人叫我：“怎么了，别哭呀，以后我帮你，吃一堑，长一智嘛！”

“可我从没考这么窝囊过呀。”

“谁没考坏过，老虎还有打盹的时候，何况人呢？我劝你以后少拘那些小节，太无聊了。”我听了心里热乎乎的。

✻爸爸四下看看，大吼一声：“小南哪儿去了？”我一惊，张口要回答，妈妈不耐烦的声音传来：“小声点行不行，房子都要震破了，也不怕邻居笑话！”“你还说我呢，儿子老往外跑，你也不管，也不让我管，要是考不上大学，让我们的面子往哪搁？”我这时才插了一句：“哥哥有他的打算，再说又不是只有上大学这一条路。”“你就会乱说，看看楼上的小枫，上了北大，三门洞的小晶上了美术学院，人家的孩子都成器，惟独你们两个，你们就不会为我们想想，争口气？”

✽“我这儿还余下一份。”说着，她便从书包里取出来，“还不错，你看看，可能对你会有帮助的。”她还给我介绍了报中的内容，最后把报纸递给了我。“课余时间，多看些课外报刊和书籍，能开拓视野，增长知识……”她显得那么和蔼，那么热诚。

✽忽然，“小玫瑰”闯进教室，满脸春风地来到我的眼前，“嗨!”她调皮地向我眨眨眼，附着耳朵神秘地说：“星期六，是我十二岁生日，你来玩好吗?”“啊，又碰上了!”我差点叫起来。“不，不，我……”“怎么，你不愿意?”“小玫瑰”有点不乐意了，噘起了小嘴说：“来吧，要不我会扫兴的。”望着她恳切的眼光，我迟疑了一下：“那，好吧!”声音很低，像蚊子叫。“太棒了，我在家等你，可别迟到啊!”她蹦蹦跳跳地远去了，望着那洒脱 的背影，我无可奈何地摇了摇头。

✽我走进教室，她正在背题，见我来了，温和地说：“起来了?”“嗯。”我坐下来，装着不高兴的样子说：“你为什么不叫我? 俺昨晚又不是没告诉你。”“叫与不叫还不是一个样! 俺前脚走，你后脚还不是跟来了? 反正也没睡。唉，昨晚冷吗? 俺冻坏了，脚到现在还没暖过来呢!”她仍带笑地说着。我知道她这是有了收获后的外露，便没吱声，掏出自然课本开始背题。她用异样的眼光瞟了一眼我的书：“你都背到这里了?”“哪里! 前头背了后头就忘。”“那我考考你。”她说着抢过书，先找了一个简单的，又找了一个冷僻的；实际我都会，却装着忘记的样子将它们答错。“嘻嘻!”她舒心地笑了，把书给我：“还行!”

✽奶奶颠着小脚从厨房里奔出来，见我正要提水壶，慌了，“哎呀，我的小祖宗，别动，烫手!”于是，便抢过水壶，蹒跚地向屋里走去。我连忙跑上前，帮奶奶扶暖水壶。“哎，小孩子家别插手，烫着不得了。快去做作业，到新年捧回张奖状，让奶奶高兴高兴。”

✽小弟呢？他冲我这个爱好语文的姐姐发起火来：“你幸灾乐祸什么呀！你也不见得考得不比我好!”“什么什么?”我惊异得说不出话来：“小弟，你现在讲的这句话完全错了。”“错就错，你能把我怎么样?”“我要纠正你的错误。首先，‘幸灾乐祸’用得不当，这个词是形容和自己有仇的人遇到不幸和灾难时的痛快心情，你考得不好，我当然也难过，怎么能用‘幸灾乐祸’这个词呢？再说，你第二句话是个双重否定句式，这就和原来所要表达的意思完全相反了。”小弟脸涨得通红，不再说什么了。

✽我把自己的想法告诉了父母。姐姐一听，急了：“在这儿，你要什么有什么，还能受到最好的教育。你怎么这样糊涂?”“我怎么不明白呢？但辛苦养育我十三年的父母又怎能忘记呢?”妈妈哽咽着说：“你还恨我们当年把你送人吗？我们对不起你，以后一定会加倍地疼你!”“不，妈妈，我不恨你。相反，我要感谢你。你使我有了双倍的父爱、母爱，有这么多的人疼我，我多幸福啊！你们，还有哥哥姐姐陪伴；而他们，只有我一个，我走了，他们就没有亲人了。他们对我的养育之恩，我永远也不忘。况且，我也爱他们呀!”一直不开口的爸爸说了话：“小静这样做是对的。我们总不能这样自私啊，一下子把

人家养了十三年的孩子夺走，要给咱，咱受得了？好，我明天就和你一块回去，看看我的大恩人。”

✲爷爷对父亲说：“不能让这孩子上学，念几天书有啥用？只要他像你，肯吃苦，肯卖力气，能挣钱养家糊口就行了。”父亲说：“不行！”头一次顶撞爷爷，“啪”，一个耳光落到了父亲的脸上。我看见，父亲的胸脯剧烈起伏，眼里射出愤怒的光。

✲“现在的世道不好，坏人多，提防都提防不了，你大伯就有个女孩……”妈妈的苦口婆心我都能背下来了。姐说：“没您想得那么严重呢，再说我会保护我自己的。”爸又接着说：“不听老人言，吃亏在眼前。到时候后悔都来不及了啊！”“我自己的事，用不着你们操心！”姐不耐烦地大声叫道。“你！你气死我了……”爸爸浑身发抖，指着大门说：“你给我滚出去！滚，再别回这个家！”“走就走，我才不稀罕这个家，一点不了解我！”“砰！”门带上了，全家肃然。

四、行为、动作描写

1. 头　部

◇精美词语

看　望　视　盯　瞧　瞄　窥　瞥　瞅　瞟　眺　瞪

听 闻 问 答 想 吞 吐 咬 吃 吸 唱 吮

打听 探听 聆听 谛听 细听 静听 倾听 垂听
恭听 难听 耸听 顺耳 悦耳 刺耳 观看 观察
点头 摇头 抬头 仰首 俯着 低头 颔首 伸颈
缩颈 歪颈 回首 侧首 昂首 翘着 举首 耳语
正视 偷看 瞻仰 洞察 细看 端详 撇嘴 努嘴
闭嘴 张嘴 捂嘴 抿嘴 嘟嘴 抹嘴 吃饭 吮吸
窥视 凝视 俯视 仰视 巡视 扫视 轻视 观望
咀嚼 吞吐 饮酒 吸烟 喝茶 啃咬

直勾勾 直瞪瞪 眼巴巴 眼睁睁

◇常用成语

低头沉思 低头沉吟 点头示意 缩头缩脑 耷拉脑袋
连连点头 碰头会面 万头攒动 聚首而谋 频频点头
耳闻目睹 竖耳静听 侧耳细听 洗耳恭听 垂手恭听
附耳低语 耳听八方 耳根发烫 闻鸡起舞 骇人听闻
目不暇接 目不转睛 目不斜视 目送手挥 目击现场
目测手量 目睹一切 目荡神摇 众目睽睽 举目远眺
细嚼慢咽 狼吞虎咽 唇枪舌剑 笨嘴拙舌 多嘴多舌
张口大笑 闭口不言 掩口而笑 细细品味 念念有词

◇绝妙句子

✽王爷爷讲着讲着，不由得神采飞扬，他磕打了一烟锅，仿佛额头上的皱纹也跳出一个个“喜”字来。

✲她的眼睛湿漉漉的，猛的一下，她转过身去捂着脸，将头靠在墙上，抽动着肩膀呜咽地哭起来。

✲小伙伴们像叽叽喳喳的小鸟一样飞出了车厢。

✲她急得团团转，眼前飘着一层层愁云，心里像塞了一团乱麻，嘴里不停地说：“怎么办呢？”

✲“好，老娘上教育局告你去！”陈明的妈妈气急败坏地说完，发疯似的跑了。

✲我点了点头，像个小地鼠似的钻进了西瓜地。

✲同学的眼睛都盯着运动员手里的球，球的飞动，大家的眼珠也在不停地转动。

✲忽然，她抬起眼皮，扫视了一下周围。

✲一扭头，我正看见那个姑娘惊奇地盯着我的脸。

✲她望望我，想说什么，但没开口，只是抿嘴一笑。

✲那明亮的眼睛里流露出对我们的关切之情，脸上笑吟吟的，令人感到亲切和温暖。

✲我们一边干活儿，一边挑最红的、个儿最大的枣往嘴里塞，像蜜一样的枣甜在嘴里，醉在我们心里。

◇华彩语段

✽那天临放学的时候，老师格外高兴，她给同学讲了一个“拽着自己头想离开地球”的人的故事，接着她又模仿起来，动作特别滑稽，逗得同学哄堂大笑起来，有几个女孩子笑出眼泪来，竟忘了放学了。

✽小妹妹抓起一块西瓜就往嘴里塞，吮着，嚼着，咽着，两腮鼓得像两个乒乓球，鼻子和下巴都沾满了瓜汤。大人们被这个“小馋猫”逗得哈哈大笑。

✽我光着脚丫，踩着海水，注视着波光粼粼的海面，听着哗哗的响声，那声音好像高超演奏家奏出的激越的钢琴曲，又像歌唱家唱的雄浑的进行曲，那声音使胸膛激荡，热血奔涌，呵，多么愿意聆听大海老人的谆谆教诲啊！

✽只见小表弟不慌不忙，弯下身子，伸出右手，虚晃一下，那螃蟹以为时机已到赶忙进攻，两个夹脚猛一合，紧紧地钳拢了。但是，它还没明白过来是中了计，便当了俘虏——小表弟抓住它，高高地擎在我的面前。

✽小雨走在小路上，蹦着，跳着。忽然，从路旁草丛中传来蝈蝈的鸣叫声，清脆、响亮。小雨觉得好玩，便停了下来，侧耳细听，那“蝈蝈”的声音好像一会儿在左，一会儿在右，一时难辨清楚，小雨急得抓耳挠腮。

✽弟弟最喜欢听孙敬修爷爷讲故事，每逢“星星火

炬”节目播送孙爷爷讲故事时，他就把半导体收音机往自己跟前一抢，歪着头，耳朵贴着收音机的喇叭边，津津有味地听起来，一会儿瞪大了眼睛，一会儿哈哈大笑，一会儿张大了嘴，口水都流出来了，他却似乎不知道，简直是听入迷了，如果有可能，他真能钻到收音机里去。

✽他，一把抢过递来的考卷，只看了一眼，脸上的笑容便顿时消失了。几秒钟后，他粗鲁地把考卷揉成一团，随手塞进抽屉，脸上又恢复了笑容。这笑容带着几分不屑一顾的情态，可也夹杂着一丝苦楚。

2. 四　肢

◇精美词语

画　扭　弹　持　打　托　摘　写　抽　护　击　掷
抓　拿　搀　抱　搂　揽　擒　捉　扶　掐　捏　按
进　退　赶　奔　逃　站　立　踢　跨　跑　行　走

搓捏　拍打　捆扎　搂抱　提拎　托举　抄写　指点
奔跑　行走　迈步　踱步　跑步　漫步　信步　快步
洗刷　包裹　缝补　抢夺　摇摆　抓搔　抚摸　抹揩
踉跄　蹒跚　信步　洗刷　剪裁　抛洒　擦拭　敲击

◇常用成语

摇手制止　拱手施礼　动手动脚　指手划脚　指点江山
一蹦三跳　一瘸一拐　一蹴而就　一步三摇　一溜小跑

手舞足蹈	手忙脚乱	手不释卷	手挥目送	手足无措
大步流星	舞步蹁跹	屈膝不跪	拳打脚踢	望风而逃
缩手缩脚	拔刀相助	推推搡搡	挽臂同行	捋臂握拳
拂袖而去	举案齐眉	拍案而起	疾步如飞	望而却步
手脚勤快	举手投足	束手就擒	掬水洗脸	招手致意
接踵而至	跋山涉水	远走高飞	紧追不舍	东倒西歪

◇绝妙句子

✻音乐响了，节奏鲜明，同学伸臂抬腿，格外有力，动作也干净利落，真有雪中练武的味道。

✻他们紧紧地握住大绳，叉开双腿，微微下蹲，脸绷得通红通红的。

✻我三步并两步地跑了过去，像一只松鼠一样抱着树干，爬了上去。

✻他们把干树枝扎成一捆，同学们背在肩上，沿着小路蹒跚地走着，样子蛮像个樵夫哩。

✻他双手抱球，连连三个箭步，纵身一跃，一个腾空，投进一个两分球。

✻他的双手时抬时落，头时而向左侧，时而向右偏，完全沉浸在乐海之中。

✻钢琴演奏家的双手在琴键上自由自在地移动跳跃，

那钢琴便发出连续的美妙的旋律。

✽这时，我的脚像生了根似的，再也挪动不了一步。

✽老师一手抚摸着明明的头，一手替明明擦去脸上两颗晶莹的泪珠，明明扶着老师走出门口。

✽想到这儿，我怀着忐忑不安的心情，脚下像生了风，三步并作两步地往回跑。

✽不知怎的，我的脚像铁钉钉在地上似的，一步也不肯往前挪。

✽奶奶愣了片刻，好像噎着了。她把拐棍使劲撑着，站起来，颤巍巍的，向前挪了几步。

✽我站起来，脚跟站立不稳，只觉得天旋地转，身子不由自主地转着，好像脚下踩了个陀螺。

✽我们慢悠悠地走着，像在扭秧歌似的。

◇华彩语段

✽徐老师一声令下，只见王中帆手里的绳子像彩环一样飞舞起来，小辫子在她肩头飞舞。她轻轻一抬腿，绳子就从她腿下一闪而过，她跳得飞快，轻如燕飞。

✽一个五年级的大哥哥，不慌不忙地接过钓杆，弯下腰来，左手按着膝盖，右手拿着钓杆，两眼盯着瓶口，慢慢将小钉子移到瓶口上，只见他的钓杆稍微一斜，钉子就滑了进去。紧接着，轻轻地钓起了瓶子。

✻我首先找来了材料，一张正方形的硬纸，一把剪刀，一个大头针，一根细长的小木棍，接着开始做了，我用剪刀把纸剪下四个小洞，形成一个“×”形，再把四个角向中心一叠，然后用大头针从纸的四个角重叠处穿过去，插在木棍的顶端，这样，一架小风车做成了”

✻只见一位健壮的汉子，把一头肥猪紧紧地绑在一条长凳上。接着，他拿起刀把猪小腿上的毛刮掉，然后切开小口，往里吹气。猪被气鼓得难受，就使劲地嚎叫，拼命地挣扎。可是，它被捆得结结实实，怎样挣扎都没有用，慢慢地，猪的身子越胀越大，那汉子拿起尖刀，朝猪喉咙捅去。顿时鲜血向外直喷，血流进了事先准备好的盆子里。那汉子见猪奄奄一息了，就拿了打气筒，从切开的小口往里打气，猪已经不能动弹了。

✻我爱电子琴，它帮助我获得全市大奖赛的第一名。为了让手指听话，我上学时常常敲击爸爸的车把，放学时一边走路一边敲自己的胳膊。有一次上课，我忽然想起曲子的指法，连忙在桌子上弹起来。突然不知谁叫了我一声，抬头一看，老师已盯着我的手指。

✻那弯弯曲曲的小路盖上了长长的白地毯，在阳光照耀下，那白雪映着刺眼的光辉，晶莹洁白，真叫人不忍心踩上去。可我们是来扫雪的，总不能这样站着呀。老师一声令下：“扫！”几十人立刻弯腰弓背，挥锹动铲，大干起

来。那情景好动人。你看，没一人看景的，几十把锹在挥动，扬起一股股雪粉，那飞散的雪钻到大家的脖颈里，引起一阵阵笑声。

✲从外表看，他的脚只是大了些，并没有什么特别，，但在足球场上他的脚可就大显神通了。一次，我队第一个发点球的便是扬奇，只见他两眼直视前方，一点不慌神，突然一个大脚，那球便飞进网，场上顿时欢呼声四起。

3．身 腰

◇精美词语

曲背 躺倒 仰卧 俯伏 笔挺 穿越 后仰 纵身
俯身 屈身 弓身 蹲身 挺身 弯腰 猫腰 哈腰

◇常用成语

紧身束腰 东摇西晃 东倒西歪 动作敏捷 汗流浃背
直体空翻 屈体空翻 挺直腰杆 空中屈身 一跃而起

◇绝妙句子

✲我把游泳圈一甩，“扑通”一声跳进了奔腾的湘江，像小泥鳅似的游了起来。

✲抬着灌了铅似的腿，弯着腰弓着背，咬着牙继续攀登着。

✽大姐姐们的舞姿美极了，你看，各个杨柳细腰，舞步轻盈，笑眯眯地神态格外动人。

✽只见他上身前倾，脚踏“飞轮”，那车流星一般的向前飞去。

✽只见她向前冲了几步，来个有力一跳。那矫健的倒立的身影在空中迅速地旋转着，又迅速地落入水中。

✽只见他矫健的身影箭似的穿过来。闪过拦截的对方队员，猛的起脚劲射，进了！

✽突然，我手一滑，身体一晃，险些摔下去，吓得我出了一身冷汗。

✽那手舞足蹈，扭动腰肢的神态表现了女孩的活泼、天真。

✽做着俯身动作，两脚叉开，弯腰俯身，两臂在身下交叉摆动，很吃力。

✽于是，她就鼓足了勇气，朝“山羊”冲去。一踏脚，双手一按，身子腾空而起，敏捷而矫健地跳越过去。

✽两人几乎同时撞线，如一阵疾风一样，裁判员惊讶得发呆，过了一会儿才醒悟过来。

◇华彩语段

✲她站在跳高架正面的助跑点上，两手叉腰，镇静地望了望那根那么难以征服的横竿，四周渐渐静下来，宁静的气氛反映出人们的紧张期望的心情。她猛吸一口气，果断地开始助跑，她先往后踏一步，然后正对着横竿冲过去，加速冲刺，一个轻快有力的起跑，身体腾空而起，只见他两腿像剪刀似的一夹，一个漂亮的转身，飞过去了。

✲只听见“咚”的一声，他像一条小鱼似的扎在水里，别看他才十来岁，游泳却有两下子，他可以挺着肚子漂在水上，忽然又沉下去，把双脚有意露在水面，可就是不露脸。

✲一声哨响，只见小红手里的跳绳像彩环一样飞舞起来，鲜红的红领巾在胸前飘动，两条小辫子在她肩间来回摆动。她轻轻地一抬腿，绳子就从她脚下一闪而过，她跳得飞快，那姿态似雄鹰展翅，轻如燕飞。

✲这时，教体育的陈老师走来为我做示范指导，只见陈老师在起跑线上站定后，便开始助跑，由慢到快，到了“山羊”前，手一撑，脚一蹬，身体便开始弹了起来，眨眼间，陈老师已稳稳地落地了，整套动作协调、优美，我羡慕极了。

✲我滑过去从人缝中一看，原来是一位姑娘在中间表演花样滑冰。只见她身穿粉红色的毛衣、小裙，舞将起来，袅娜娉婷，好像春晓之花；旋转起来，灵巧轻快，又如蝴蝶翩舞。冰场上掌声大作。

✽我鼓足勇气，第二次爬上去，左脚踩住第一根网绳，右脚踩住第二根网绳，然后弯腰弓背，纵身一跳，跳到柱子上面。这绳子特松，交叉套着，走上去像踏在秋千上，身体摇摇晃晃。这时稍有不慎，就会从二米高的柱子上摔下来。我屏息凝神，一步一步坚定沉着地向终点走去。

✽我试探着，慢慢地下了水，先在水浅的地方用手按着水底，然后用腿不停地拍击水面。“啪、啪……”不大会儿，我的腿又酸又木。爸爸把我推到水深的地方去，教我憋气，教我登腿，教我划水，我用心听着。我按爸爸说的方法去游，刚开始，身体沉了下去，“咕咚、咕咚”两口水进了肚子。等我站起时，爸爸笑了。我不气馁，坚持练了一下午，身体不沉了。我高兴地游了起来，水面溅起一串串浪花。

记

事

篇

一、活动描写

1. 文体活动

◇精美词语

击剑　打球　赛跑　争夺　竞争　比赛　交锋　喝彩
拼搏　助威　夺魁　绝招　挑战　健儿　健将　敏捷
文娱　体育　体操　唱歌　跳舞　音乐　下棋　游泳
鼓劲　领先　斗志　气馁　助阵　督战　输赢　表演
顽强　健美　精彩　强健　体魄　信心　荣誉　气氛
灵巧　慌张　沉着　配合　激战　成功　机会　角逐
甜美　悦耳　对唱　伴唱　舞姿　动作　舞蹈　舞步
歌曲　悠扬　齐唱　轮唱　独唱　合唱　清脆　宏亮
宛转　嘹亮　快乐　缠绵　美妙　飞扬　飘荡　飘扬

◇常用成语

精神萎靡　首战告捷　以攻为守　不相上下　灵活多变

英姿飒爽	英勇无畏	英勇顽强	摩拳擦掌	跃跃欲试
精神抖擞	劈波斩浪	斗志旺盛	信心百倍	意气风发
龙腾虎跃	你追我赶	你争我夺	争先恐后	风驰电掣
大显身手	大步流星	大刀阔斧	大败而归	大局已定
紧张激烈	紧追不舍	咬紧牙关	竭尽全力	敏捷灵活
奋力拼搏	遥遥领先	并驾齐驱	生龙活虎	龙争虎斗
一马当先	一路领先	一败涂地	一瘸一拐	出乎意料
风云莫测	风虎云龙	健步如飞	身轻如燕	不甘示弱

◇绝妙句子

✽“扑通！扑通！”操场上清晰地传来跑步声，接着，几个黑影从我眼前闪过，不一会儿，他们就融进了茫茫夜色中。

✽随着叫喊声，运动员个个咬着牙，绷着脸，双手死死地抓紧绳子，手背上都暴出了青筋，臂上的肌肉鼓起，似乎要与臂膀分离。

✽女同学不在眼前时，红柳便笑呵呵地给我们表演“动脖子，耸肩膀”的新疆舞，逗得同学们直乐。

✽六位运动员足下生风，你追我赶，尽管一个个都是汗流浃背，可谁也不甘示弱。

✽一个个都死死地攥紧绳子，脚下恨不得深深地钉进地里，眼睛瞪得滚圆，脸儿憋得通红。

✽起初还规矩地学，到末了任宇先穷疯，乱扭起来，这样大伙全都随着使劲乱跳，纯正的和不纯正的迪斯科，笨拙的水兵舞和扭秧歌全杂拌在一起，最终索性拼命跺脚丫，“嘭嘭嘭，嘭嘭嘭”。

✽他迈着轻快的步子跑到踏板前，往踏板上一蹦，两脚齐落，就像踩在弹簧上似的，身子立刻弹起来……

✽他迅速运球，左冲右突，攻到篮下，跃起，抬臂，压腕，“刷——！”好一个干净利落的“空中开花”！

✽她用力一跃，恰似展翅飞翔的海燕，轻盈地“飞”过横竿，又稳稳地落在沙坑里。

✽两个舞伴中轮流着一个蹲着拍手，一起一伏，好像湖面上翻动的浪花。

✽那些初学滑冰的小朋友，不但滑不起来，而且东倒西歪，就像刚学走路的小孩。

✽她带球突破像一阵旋风，左、右边锋密切配合着她，多少次射门都在她的脚下。

✽这时，“啪”的一声，起跑的枪声响了，机敏的骑手挥动马鞭，一个个像离弦的箭一样，向前冲去。

✽突然，男同学从岸上扑通跳下去，像鱼儿一样在水里游来游去。同学们都看呆了，不由得鼓起掌来。

✽到了盛夏，小朋友们像鱼儿一样在河里钻上钻下，快活地戏水，满河都是欢声笑语。

✽她接过接力棒，像脱缰的骏马一样急速地向前奔去。

◇华彩语段

✽奶奶说完，然后笨手笨脚地扭起来，还一本正经地说："看见没有，这才是正宗的东北大秧歌呢！"那叫什么扭秧歌呀，简直像被风吹得乱摇乱摆，奶奶的动作把全家都逗乐了。

✽雄壮嘹亮的歌声一下从四周响起，骤然间回荡在校园上空。歌声中，八名少先队员昂首挺胸，迈着整齐的步伐，高擎火炬，雄纠纠气昂昂地走近主席台前，接受火种。火炬燃了，火苗呼呼地燃烧着，歌声一浪高过一浪。

✽先是进行象征"团结就是力量"的拔河比赛。各班的"大力士"紧紧握住手中这条友谊的大绳，站稳脚跟使劲拉。两旁"高嗓门"的拉拉队，双手放在嘴巴前当喇叭筒，"一二——加油！""一二——加油！"大声地呼喊着。经过一场较量，我们班男女两队都获胜了。

✽钢琴奏起活泼动听的旋律，小曹立在紫红色地毯边缘上，那身姿犹如一尊美丽的塑像。她一开始动作，大厅里立刻变得静极了，全场观众全被她的矫健而柔和、高超而优美的表演迷住了。人们仿佛屏住气，倾心地目不转睛

地望着她。她表演完毕，场中还是那么肃静，几秒钟过去，突然响起雷鸣般的掌声和喝彩声。

✻在悠扬的乐曲声中，少先队员们手拉手，围着营火跳起了欢快的集体舞。那五彩缤纷的服饰，那风采独特、刚劲豪放的舞姿和富于凉山乡土气息的格调，令人目不暇接，心花怒放。

✻高明抖擞精神，速度不但丝毫没有减慢，反而越跑越快。后边的几位运动员都急红了眼睛，恨不得生出一对翅膀，玩命地追。随着终点的临近，拉拉队的呐喊助威声也越来越高，一阵盖过一阵。只剩最后 30 米了，出人意料的情况突然发生了。只见第五道的王彬突然明显加快了速度，似流星赶月一般转眼超过一个，又超过一个……已经同高明并驾齐驱了。只剩最后十多米的较量了，究竟谁胜谁负？这时，啦啦队员的嘴巴仿佛都被胶布封上了一般发不出喊声，同学们的心都吊到了嗓子眼儿，裁判员们也都瞪圆了眼睛。

✻她手上带着假指甲，弹古筝用的，一次我看她弹古筝，她一双小手在筝弦上灵巧地拨动着，我看得眼花缭乱。那《高山流水》的曲调格外和谐入耳，时而高亢，时而低沉；时而清脆，时而雄浑……一个个音符似乎变成了轻纱般飘动的云朵，又变成艳丽夺目的彩带。

✻他习惯地抖了抖两臂，轻轻地摆了一下头，满怀信心地走到单杠下，“飕”的一下跳了上去，接着便是一连串的高难度动作。只见他腾空跃起，又轻捷地抓杠，观众

惊呼未定，他突然将双手一放，身体高高抛起，在空中翻了三个跟斗，然后飘然落下，两脚钉子般地钉在垫子上，双手高高举起，纹丝不动。“好!”掌声和欢呼声响成一片。

✽跳高杆快升到我的头顶般高了，跳高运动员只剩下六·二班的张大明了。他不慌不忙地活动了几下身子，习惯地压了压左腿，再压了压右腿，然后弹跳几下。“看，起跑了!”只见他迈出轻快的步子，直冲跳高架。当他快要接近跳高杆时，突然左腿在地上猛的一蹬，两手在身旁划了两个圆圈，一眨眼，身子就腾起，凌空在横杆了；刹那间，右腿一扬，左腿一翻，轻松地越过了横杆。顿时，掌声四起……

✽最后一天的自选动作，她成了全场观众最注目的人物。她开始跳马，人们的视线全集中到长长的跑道一端。她起跑，步子轻巧、均匀，渐渐地加快了速度；猛冲，快得惊人。霎时，到了木马跟前，只见她纵身一跃，双手在马背上一拍，顿时，身子凌空飞起，宛如海燕冲霄，接着又斜掠下去，姿态美极了，定睛看时，她已稳稳地站立在木马跟前。

✽小同学们随着雄壮的乐曲声走了出来，只见他们挺胸抬头，用力甩着胳膊，有节奏地迈开步子，尽量和前边、旁边的同学看齐。她们来到指定的位置上站好，还是那么整齐，远看每班的队伍就像一条条线儿。当广播操的乐曲响起来的时候，小同学们就用力地做起操来。看，胳膊一起举起来了，就像一株株绽开的蓓蕾。看，腿多么高

多么直，像是小树又生出了新的枝芽。在队伍中有一个矮个子的男同学，他做得更认真，你看，他的胳膊伸得多么直，腰弯得多么低，迈开的弓箭步多么像一张拉开了弦的弓……这时铃声响了，广播操结束了，同学们又都靠拢在一起，有次序地走回了教室。

✻双方旗鼓相当，比分紧紧咬住交替上升。只剩最后三分钟了，场上比分是 30：30。在震耳欲聋的呐喊助威声中，六（二）班的张杰想带球过人，但在对方严密的防守中屡屡碰壁，于是她把球往高一甩，想传给于立。没料到，却被对方手脚利索的辛蕾一个鱼跃把球截断，然后迅速转手，传给队员李云。由于球传得太突然，李云猝不及防，还没等她有所反应，又被六（二）班的赵芳抢了回去。只见赵芳迅速运球，突破防线，奔向禁区，一抬手，一压腕，“刷——”篮球应声入网。

2．游戏活动

◇精美词语

乐趣	情趣	趣味	狂欢	兴奋	追逐	躲闪	调皮
捣蛋	淘气	躲藏	配合	默契	赌气	招架	锻炼
欢呼	欢叫	欢笑	欢心	机灵	机智	机会	捣乱
灵活	笨拙	敏捷	犹豫	迟钝	鬼脸	存心	担心
游泳	吵闹	叫嚷	可笑	滑稽	示意	假装	怪态

◇常用成语

手足无措	手忙脚乱	笨手笨脚	毛手毛脚	束手无策
七手八脚	垂头丧气	摇头晃脑	探头探脑	抱头鼠窜
大摇大摆	大为恼火	大吃一惊	大惊小怪	手舞足蹈
得意忘形	笑逐颜开	欢呼雀跃	挤眉弄眼	争吵不休
混水摸鱼	四脚朝天	躲闪不及	防不胜防	落荒而逃
开怀大笑	哄堂大笑			

◇绝妙句子

✻风筝随着微风慢慢往上飘，好像一只小鸟在天空中翱翔，真好看。

✻踢毽子的女同学手脚轻快，小毽子上下飞舞，就像一只只牵在她们脚上的小燕子，飞去又飞回。

✻大家拾起一块块小石子，打在冰面上，小石子像脱缰的野马，“嗖嗖”地滑起来，能滑好远好远。

✻我梦见和小伙伴们一起打水仗，水花像飞舞的焰火；又梦见我们一起跳水，像海鸥一样飞翔。

✻一个个小手冻麻了，冻红了，可谁也不叫冷，只是互相笑一笑，搓搓手，再呵呵热气，又喊着笑着，热火朝天地玩起自己的游戏来。

✻他双手捧着气球，腮帮子一会儿鼓起来，像扣上去

半个皮球，一会儿瘪下去，像塌下去的深坑，眼睛睁得滚圆，像要裂开似的。

✽平时谁都想多争几朵小红花，这时好像变成了滚烫的火炭儿，谁都不敢让它落在自己的手上。

✽她一跳起皮筋来，就像疯了似的。只见她愈跳愈快，愈跳愈高，时而劈腿，时而倒踢，五花八门，恰如一只蹦蹦跳跳的小猴，使你眼花缭乱。

◇华彩语段

✽闻杰看完写在纸上的“电话”内容，迅速回到座位上，把“电话”传给了我：“杨刚赶着一群羊，走到山岗遇到狼。”我听完“电话”，立即不假思索、迫不及待地传给了孙洁……“电话”传到最后一个詹来顺，詹来顺把他接到的“电话”写在了小黑板上。再看那上边写的“电话”内容，大家顿时像被兜头浇了一桶凉水，全都傻了眼。教室里先是一阵沉默，随即是一阵哄堂大笑。原来“杨刚赶着一群羊，走到山岗遇到狼。”竟然变成了“绵关感到身上一阵痒”！

✽接着，由张远航同学继续丢手帕。只见她故作姿态地在一个同学身后做了一个“丢”的动作，然后他把手帕巧妙地放在了杨震宇同学的身后。没想到杨震宇同学早有提防，他抓起手帕，腾地站了起来，像离弦的箭一样向前追去。他俩一前一后，向前迅跑，张远航同学越跑越快，杨震宇同学越追越近。同学们都起劲地为他俩加油。当张远航刚要往下蹲的一瞬间，杨震宇抢先一步，一把拉住了

张远航，这一下张远航只好认输了。同学们“罚”张远航表演个小节目，他扮了个鬼脸，滑稽地学了一声猫叫，引起同学们一阵畅怀的大笑。

✽鼓在敲，花在传……真不知究竟会停落在谁手上。“咚咚咚……咚！”鼓声突然停止了，花儿偏巧落在我的手中。大家的目光都集中在我的身上，一齐起哄，催我快快上台表演节目。我上台走到小箱前，心里敲起了小鼓，想：“老天保佑，千万别让我抓到跳舞的条子！”我左摸右挑，真是天不保佑我，到底还是摸着“请君起舞”的条子。大家又是一阵起哄。没办法，只得被撵鸭子上架，硬着头皮跳起舞来。

✽我们穿着崭新的学生服，面对东南，湖水一望无边，水天相接，真叫人心旷神怡。老师的哨声一响，我们的小风筝便一齐飞上了蓝天。风筝在空中悠悠地飞翔，五彩缤纷：有金鱼、有鸽子，还有形似梨子的风筝。同学们看到自己亲手做的风筝飞上了天，情不自禁地拍着手跳跃、欢呼。

✽一对对摔跤手采取声东击西的佯攻手法，使对方猝不及防，终于揪住了对方，开始搏斗起来。不多久，双方就在他们的脚踢起的弥漫的尘土中格斗，这尘土几乎遮住了狂叫猛喊的观众的视线。哪一方滑跌在地或是双方同时倒地都不算，只有一方将另一方摔倒，举起他的身子，投掷在地，才算获胜。

✽“老鹰”一会儿向左，一会儿向右，一会儿又连绕

几圈，寻找机会捕捉“猎物”。突然，“老鹰”猛一转身，扑向“小鸡”。“鸡妈妈”连忙张开双臂，保护自己的“孩子”。跟在“鸡妈妈”背后的“小鸡”连忙左躲右闪。几次进攻后，“老鹰”见“小鸡”有些疲惫不堪了，就摆好架式，然后吸了一口气，猛一转身，扑了过去。“鸡妈妈”马上一拐弯儿，张开双臂拦截。“老鹰”真狡猾，突然一哈腰，“哧溜”一下从“鸡妈妈”的“翅膀”下钻了过去。恶狠狠地抓住了一只丢掉的“小鸡”，张开大嘴就要“吃”掉它。

✽“小丑”画出来了，那模样怪滑稽的。你看他胖胖的脸，圆圆的眼，歪咧着一张小嘴巴，大大的脑袋戴着一顶尖尖的小红帽，只可惜缺了一个鼻子。游戏开始了。第一个上台的是刘萌。他拿起一支粉笔，蒙上眼睛后，摸索着走到“小丑”前面，举起手来要画鼻子，可又迟疑不决了，老半天也不动手添画。“快，快画呀!”同学们紧盯着他的一举一动，着急地催促着。他也有些急了，于是落笔就画，然后猛一转，往右跨了一步。大家一看，鼻子竟然画在了“小丑”的耳朵下，使它显得更滑稽了，不禁哄堂大笑。刘萌扯掉眼布，看到自己的“杰作”，摇摇头，又挠挠头皮。

✽一次，我和爸爸、妈妈一起到大伯伯家做客。吃饭前，我和小外甥萧俊玩捉迷藏的游戏。等他蒙好眼睛后，我开始寻找躲藏的地方：躲在旁边的房里，不好，如发现了我，我无法脱身；藏在厨房里吧，好是好，又有大姐作掩护，但油烟太重，呛得要咳嗽，那样就会被他发觉，最后还是选择了卫生间这块“宝地”。我把卫生间的门虚掩

着，屏息听着门外的动静，只听见急促的脚步声在远处的楼梯上响着，可就到不了这里。我开始暗自喜悦，放松了警惕。过一会儿，萧俊喊道："舅舅，外婆叫我们吃饭喽!"我一听竟不在意地答应了一声。刚欲出去，萧俊已朝我咯咯咯地笑，飞奔几步，一下子把我抓住了。

✽溜冰场上灯火辉煌，照耀得如同白昼。黑咕隆咚的天上，新月和疏星黯然失色。女孩子穿着红毛衣，飘扬着花围巾，潇洒地走着曲线，冰上出现了浓淡交错的许多印子。有几个男同学，戴着小红帽，穿着灰线衣，弯着腰，蹭，蹭，蹭，像燕子一样地飞过。还有戴着有绒球的毛线帽的小娃娃，突然出现在人们的身旁，忽又一钻，不见了。还有不少披着厚厚的棉袄的初学者，战战兢兢挪动着步子。

✽"跳绳"是我们女同学十分喜爱的活动。在操场的两边，有几组同学正跳得起劲。抡绳的同学把绳子抡得"嗡嗡"直响，跳绳的同学步子一点儿也不乱，又蹦又跳，活像一只活泼的小喜鹊。郭玲玲正在轻快地跳着，她一会儿单腿跳，一会儿双腿跳，一会儿蹦着跳，一会儿跑着跳，她头上的蝴蝶结仿佛一对美丽的蝴蝶在百花丛中飞舞，真是好看极了。这时，我不由得也一步蹿上去，便轻快地跳起来。我们两人一会儿跳到这边来，一会儿跳到那边去，四周围观的同学不时为我俩喝彩。我心里觉得比喝了蜜还甜。

✽一声令下，雪仗拉开了序幕，雪团立刻纷纷掷出。对方的战术是先发制人，不顾一切地朝我方发动猛攻。一

团团雪球就像一颗颗炮弹从天而降，打得我们左躲右闪，难以招架。看到我们又躲又藏，双方都跳着，喊着，笑着，不免有点过于骄狂。“弟兄们，快，把‘敌人’打回去！”我大喊着，冒着“敌人”的“炮火”，奋不顾身，带头扑向“敌人”。“冲啊——！”我方嗷嗷叫着，开始全线反击。只见“炮弹”纷纷砸向敌阵，四处开花，频频命中，把“敌人”打得乱了阵脚，他们抱头鼠窜，落荒而逃。我盯住对方的“指挥官”，趁他一不留神，把雪团猛地砸了过去。“嗖——啪！”雪球一下子砸在他的脸上，打得他“嗷”的一声怪叫，身体向后一仰，摔倒在雪地上。我方将士一涌而上，把一团团雪球往他的衣服里乱塞。我有点得意忘形，乐得正起劲儿，不料一颗“炮弹”突然迎面飞来，正巧击中了我的嘴巴，使我吃了一个大“雪馅包子”，于是又引起了一阵欢笑声。

✲不大一会儿，一个白白胖胖的雪娃娃就坐在我们面前了。我们围着它蹦啊跳啊，唱啊叫啊，完全沉浸在欢乐之中。突然，我发现雪人的鼻子、眼睛和嘴巴都还没安上，呆头呆脑坐在那儿，挺呆的，就说：“伙伴们，它还缺鼻子、眼睛和嘴哪！”听我这么一说，大家喊了声“对”，就七手八脚地为雪人打扮起来。郭连锋找来红砖头儿，磨成尖尖的鼻子；吴熙找来片枯树叶，撕成嘴的形状；我找来两个大小相同的圆石头，用来当眼睛；蔡嘉佳想得真周到，找了几根细松枝，插在雪人的“眼睛”上方当睫毛。微风吹来，雪人那长长的睫毛还在轻轻抖动呢！咦，它没穿衣服呢，这么冷的天儿，冻感冒怎么办？于是，我们找了五个不同颜色的小石块儿，将一排五彩的“扣子”嵌在了它那雪白的衣服上，雪人“活”了！

✻轮到我吹了，我深深地吸了一口气，两眼紧紧盯住蜡烛。我把气轻轻地吐了出去，只见蜡烛上的火苗跳了几下，很快就熄灭了。“好!”我高兴得欢呼起来。可是，一转眼蜡烛像故意和我捣蛋，火苗“呼”的一下，又窜了上来，得意洋洋地闪着光。“唉，真可惜!”我可不灰心，才吹了一次，还有两次呢，怕什么？我又长长地叹了一口气，先是轻轻地吹，接着，猛一使劲——瞧，火苗“啪”的一声，灭了！灭了！这次真的灭了！我高兴地望着张新容，她笑嘻嘻地催我：“快去领奖!”

✻赵巍真是个机灵鬼！你要是往他胸口砸，他就像小猴似的敏捷地蹲下去；你要是朝他腿上砸，他又像跳舞似的灵巧地一抬腿，布口袋就从他的腿底下飞了过去。布口袋落在我手中了，恰好赵巍就在我前面。我瞄得准准的，把布口袋朝他肚子砸去，满以为肯定“一发命中”。他却很敏捷地卧倒在地，布口袋从他后背上面飞了过去。再看张强，傲慢地叉着双腿，得意洋洋地作着怪态，一副满不在乎的样子。王鹏气得直跺脚瞪眼睛，抓起布口袋用力朝他砸去，还恨恨地说：“叫你美!”张强身子一低，“嗖——!”布口袋呈一个小小的弧形擦着他的头顶飞了过去。

3. 班队活动

◇精美词语

演说　演讲　主持　联欢　表演　庆祝　欢庆　朗诵
总结　比赛　比试　决心　指挥　化妆　打扮　理想

春游　秋游　野营　晚会　郊游　野炊　野餐　篝火
志向　憧憬　抱负　誓言　欢腾

◇常用成语

载歌载舞　登台献艺　轻歌曼舞　比试高低　掌声热烈
欢声如雷　引吭高歌　尽情歌唱　锣鼓喧天　鼓声雷动
鼓号齐鸣　鼓声如雷　歌声嘹亮　歌声如潮　欢声笑语
浮想联翩　心潮澎湃　畅所欲言　心情舒畅　手忙脚乱
畅谈理想　铮铮誓言　欢聚一堂　丰富多彩　美妙神奇
热闹非凡　鲜花似海　心花怒放　情绪高涨　气氛热烈
其乐无穷　师生同乐　此起彼伏　满头大汗　无忧无虑
灯火通明　五彩缤纷　篝火熊熊　彩灯高悬　妙趣横生
自由自在　神采飞扬　经久不息　豪情满怀　一片欢腾
热血沸腾　热情奔放

◇绝妙句子

✽联欢节目开始了。那精彩的表演像磁铁般地把我吸引住了。

✽紫红色的幕布拉开了，小演员像一只只美丽的小蝴蝶，给会场增添了欢乐的气氛。

✽周会开始了，在庄严的国歌声中，五星红旗徐徐升起，全校师生肃立在大操场，向国旗行礼。

✽傍晚，我像一只快活的小鸟蹦蹦跳跳跑进校园，来参加“中秋赏月晚会”。

❋鲜花、彩练、闪烁的霓虹灯，把新年联欢会会场装扮得格外迷人；欢声、笑语、洋洋喜气，使整个联欢会充满了浓浓的节日气氛。

❋中队长一声令下，大家就分头行动起来：有的搭灶安锅，有的淘米做饭，有的洗菜切菜，有的拾柴生火……又说又笑，忙得不亦乐乎。

❋营火“腾”的一下蹿起了三四米高，“呼呼”作响，通红通红的火焰映红了夜空，映红了营地，也映红了我们少先队员的张张笑脸！

❋国歌的旋律激荡着大家的情怀，我看见的是一个个庄重、激动的面庞。

❋那升旗的场面真是动人心魄，所有的人都自动驻足，有干部、工人；有老人、孩子。

❋一面火红的少先队队旗，高高地升上一棵老杨树树梢。旗下一片池塘边，传出阵阵铃儿般响亮的欢笑声和莺儿鸣叫似的歌声。

◇华彩语段

❋这天下午，一个难忘的时刻来到了！从主席台上传来了会议主持人的声音：“请三年级（一）班文昕……”我从座位上站了起来。心扑通扑通地跳着，走到台前，举起右手，行了个队礼，接着，大声向大会发表竞选演说：“我叫文昕，原来是三年级（一）班大队委员，我平时学

习成绩优良，一、二年级时分别获得语文、数学年级第一名……”发言快要结束时，我不禁顿了一下，想，那句最舒服的话要不要说呢？我脑子里闪过一个念头：“想什么就说什么吧！”终于，我大声说：“请大家相信我，投我一票吧！”最后，我给大家念了一首前不久我发表在《中国儿童报》第811期上的小诗《望天空》……投票仪式开始了！大队委员候选人一个个背着站在自己投票盆的前面。代表们一个挨着一个走过来把票投入自己愿意选他为大队委员的投票盆里。投票时，我抑制不住自己的心情，忍不住回过头看看盆里的票数。投完票，开始数票。我的心跳得像只乱蹦的小兔子。当报到我是73票时，我吐了一口长气，心也平静下来了。

✽真巧，话音刚落，就听有人喊：“嗨——，来喽，烧柴来喽，一块钱一捆哟！”只见小刚和力明，扛着干柴跑了过来。他们满头是汗，小脸儿涨得红扑扑的。烧柴有了，小丽迫不及待地半跪下去，把柴添进灶膛，又往里倒了点柴油，划着了火柴，火很快就燃旺了。杨平也学着小丽的样子去添柴点火，可不知为什么，一会儿旺起来，一会儿又没了火苗，他着急了，撅起嘴来使劲儿往里吹风。这时，灶膛里直冒黑烟，把他熏得直淌眼泪，用手一抹，哈哈，好看极了，变成了京戏里的大花脸！再看那边吧，月欣带着她的部下，正嘻嘻哈哈地笑闹着，洗菜、摘菜、开罐头、切香肠、铺凉席、摆餐具，嘴上手上都不闲着，忙得不亦乐乎。可是，有的人工作却做得不怎样好。就说那位胖胖的女生吧，扎着大花围裙，虽说态度认真，可笨手笨脚的样子真滑稽可笑，土豆片切得简直像馒头片！

✻“展开理想的翅膀主题中队会”开始了。一阵掌声过后，那根小小的竹竿仿佛魔术棍一般，变成了大家表达理想抱负的得心应手的道具。你瞧，竹竿成了秦芸主持电视的“话筒”，成了傅莺莺手中的“教鞭”，成了李刚手中的“钢枪”，成了张健手中的“撑竿”，成了……它又成了王京手中的“警棍”！你看，他手拿“警棍”正在巡逻，突然，他似乎听到了异样的响动，马上警觉起来，悄悄接近目标。原来，窃贼携着赃物正要逃离现场。王京猛扑过去，挥起“警棍”，“窃贼”立刻像一团烂泥瘫倒在地，浑身发抖。王京的表演惟妙惟肖，逗得同学们个个捧腹大笑。

✻集合铃响了，我和同学们排着整齐的队伍，来到学校礼堂。大队辅导员宣布开会。少先队大队委员宣读新队员名单。当我听到我的名字时，我的心怦怦直跳：我成为一名光荣的少先队员了，我要珍惜这荣誉啊！一个大队委员走到我的面前，郑重地给我戴上鲜艳的红领巾，然后向我敬了队礼。我急忙把右手举过头顶，庄重地还了礼……

✻雄壮的乐曲声响起来了，热烈的掌声和欢呼声响起来了，九名手持火炬的少先队员也精神抖擞地跑过来了。他们绕场一周后，把火炬投向柴堆，“忽啦”一下，营火熊熊燃烧起来。顿时，鼓号声、鞭炮声、欢呼声、乐曲声交织在一起，一下子就把营火晚会推向高潮。在晚风的吹拂下，营火越烧越旺，映红了人们的脸庞。紧接着，少先队员们身穿节日的盛装，欢呼着从四面八方涌向营火，大家手拉着手，踏着欢快的节奏，围着营火跳起了欢乐的集体舞。那五彩缤纷的服饰，那刚劲豪放的舞姿和浓郁的凉

川乡土气息，令人心花怒放。

✽决赛开始了，我走上台，心里怦怦直跳。老师在一旁鼓励我说：“别慌，沉着才能取得好成绩。”听了老师的话，我的心渐渐地平静下来。教师一声令下：“预备——起。”我用左手的大拇指和食指捏住针，露出针眼。把线头捻得尖尖的，再用线头对准针眼，往里一穿。啊，穿过去了。我立刻拉出线头，用手捏住线的两头，针挂在线的中间，把手举得高高的，真像运动员得了金杯那样高兴。比赛结果，我得了一年级组第一名，陆祥得了第二名，韩军得了第三名。

✽我心怦怦地跳。我多希望它飞得高一点呀！我默默地说：“小飞机，可要为我争口气呀！”我把橡皮筋绕得紧紧的，因为只有把它绕紧了，才有希望叫它飞得高。我仔细地检查了一遍，觉得没差错，便高声地说：“一、二、三！哗——”我一放手，小飞机的螺旋桨转起来了，直向蓝天飞去。“哈，小飞机上天啦。”我多高兴啊！我大叫着，这只飞机飞在蓝天里，又像蜻蜓，又像蝴蝶，多美！

✽我们顺着甬道，来到陵园的最高点——人民英雄纪念塔前。塔身高 27．5 米，它象征着革命烈士的崇高形象与磊落胸怀。纪念塔四面都有题词，正面写着八个大字：“光荣烈士永垂不朽”，在阳光的照耀下，分外醒目。然后我们又参观了革命烈士纪念馆。纪念馆门前摆着一个大花圈，花圈中央是一朵洁白的大白花，纪念馆里陈列着许多烈士的遗像和遗物。看到这些，使我们懂得，先烈们用自己的骨肉和鲜血筑成了我们新的长城，换来了我们今天的幸福生活。我们生活在幸福的年代里，不好好学习，怎么对得起为我们流血牺牲的烈士呢？……

✽我们开始爬山时，不觉得累，不觉得渴，也不觉得害怕，一个个都精神抖擞，像登山运动员一样，你追我赶，看谁爬得快。等爬到山腰，一个个都累得要命，汗珠不断地从同学们额头上顺着脸颊流下来，手帕都挤出了水，腿也走得酸疼，从嗓子眼里直冒火。突然，我脚下一打滑，差一点摔下去，我吓得心“怦怦”直跳，一点力气也没有了，赶快和几个同学坐在小树下乘凉。过了一会儿，有同学陆续起程了，但大多数同学望望“高耸入云”的山顶，再看看脚下，不想爬了，可又一想，自己这次要登不到顶峰，就领略不到顶峰的“无限风光”了！不就成了“半途而废”了吗？再说自己没爬过去，这头一回当然不会顺顺当当地过去。对！一定要爬上顶峰。我主意已定，就打起精神，继续往上攀登。

二、校园生活

1．读书学习

◇精美词语

咀嚼　推敲　推测　斟酌　切磋　请教　理解　指点
补习　听课　朗读　背诵　默写　复习　温习　预习
勤奋　努力　刻苦　认真　专注　钻研　毅力　琢磨

上课 自习 自修 自学 测验 考试 考核 练习
引导 点拨 消化 吸收 广博 丰富 马虎 粗心
骄傲 自满 谦虚

◇常用成语

学无止境 学有专长 学富五车 学用结合 由此及彼
由表及里 讲练并进 题海战术 荒废学业 断章取义
学有成效 学海无涯 学而不厌 学有长进 学以致用
持之以恒 真知灼见 博览群书 博古通今 如饥似渴
孜孜不倦 华而不实 似懂非懂 掩卷沉思 囫囵吞枣
不学无术 取长补短 食而不化 日积月累 活学活用
博闻强记 精益求精 敏而好学 专心致志 手不释卷
循序渐进 广泛涉猎 刻苦学习 一目十行 分门别类
勤学苦练 努力钻研 独立思考 择师而学 虚心好学
温故知新 举一反三 融会贯通 去粗取精 去伪存真

◇绝妙句子

✲作文要想写得生动，就要进行细节描写，否则，作文就会写成几条线，干干巴巴，像个老鼠尾巴。

✲我握住她的小手教她写“1、2、3”，并告诉她：“1”字像小棒，“2”字像小鸭，“3”字像耳朵。

✲对教师和学生，我们古人有个理想的标准：“学而不厌，诲人不倦”。学而不厌是好学生，诲人不倦的就是好老师。

✽每当我做作业的时候，笔尖沙沙响，好像小鸟在对我唱歌，又好像在鼓励我说："你要不怕困难，勇攀高峰。"

✽我一度学习不专心，成绩不稳定，父母为此着急，但我却毫不在乎，把大人好心的劝告当成耳边风。是王老师循循善诱，使我的学习有了进步。

✽我看着地上的一个个夯坑，不禁想到：我们现在上小学，学习知识，就要像砸地基一样，要一步步打扎实。

✽下午放了学，同学们便像一窝蜂似的趴在办公室的窗台上，争着向老师打听自己的分数。

✽做完小实验，大家七嘴八舌，议论纷纷，心里都画了一个大大的问号。

✽最后三分钟了，有的长长叹了口气，如释重负；有的眉头紧皱，显得焦急厌烦又无可奈何；有的连忙拿起试卷，开始进行检查核对。

◇华彩语段

✽老师一走进教室，便在黑板上写下两句话："祖国啊！我的母亲"和"祖国啊，我的妈妈"，说："同学们，这两句话，你们认为哪一句好？"我一时呆住了，真有点丈二和尚摸不着头脑，"母亲"和"妈妈"不是一样的意思吗？难道还有什么区别？老师见我们回答不了，笑着说："哈哈，你们给难住了，我来说吧。'母亲'一般用于

比较庄严，或者比较强烈的句子里。‘妈妈’呢？就不同了……”我疑团大解，真想不到一两个字也有这么大的学问呢。老师停了一下，又出了一道选择题：“‘____’（妈妈，母亲）小妹妹一边喊着，一边唱着歌儿奔了进来。”我们纷纷举手要求回答。老师叫了我，我忙站起来，挺得意地响亮答道：“选择前一个答案，‘妈妈’。”老师微笑着连连点头：“好，好！”我心里像喝了蜜汁一样甜，仿佛要从心底唱出胜利的歌儿，畅快极了。真想不到学习还会这么有趣呢！但我又深知自己还差得很远，今后可要努力呀！

✽试卷发下来了，教室里鸦雀无声。同学们打开试卷，紧张地瞄了一下卷面上的试题，哟，还真难呢！而且题量这么多，整整四大张！大家不由得轻轻地叹了一声，也顾不得多想，就立刻动手做起来。教室里一片沙沙沙的写字声，也有的手托下巴，侧着脑袋，紧皱双眉在思考。考场就是战场，这话一点不假，你看，同学们不都在紧张地战斗吗？

✽按照小实验的要求，我们开始动手操作了。孙华点着蜡烛，我把白纸做屏幕，李刚把凸透镜放在蜡烛和白纸之间。当这三样东西恰恰处于同一高度同一直线上时，奇迹出现了：在纸屏上映出了火焰的倒像，那火苗也是一晃一晃的，特别清晰。我赶紧把纸屏递给别人，抢过凸透镜，并前后移动起来。真有趣！凸透镜越靠近蜡烛，倒像越大，越模糊；再往后移动，火苗的倒像就越小，也清晰多了。“这是为什么？”做完实验，大家的心里都充满了疑问。待老师讲了光学原理后，大家才恍然大悟，一个个就像小鸡啄米似的连连点头。

✽老师在黑板上写出要求后，又说："祝颂语不得体，就让人觉得别扭。比如有人在给我的信中写'祝您两袖清风'，这哪成啊！教师这一职业是比较清苦，但谁愿受穷啊！再有，这意思是不是认为我搜刮了民脂民膏？"说到这儿，同学们都会意地笑了。待大家思考了一会儿后，王老师又说："写祝颂语一般只写一套，用上'此致，敬礼'就不必再写'祝您健康'。正如平时对人表示敬意，要么敬礼，要么鞠躬，只用一种即可。如果用两套，那就会出笑话了。不信请看——"说到这儿，他一边举手敬礼，一边弯腰鞠躬，样子十分滑稽，又引起一阵哄堂大笑。

✽"时间到了。收卷！"老师宣布说。考场上立刻响起了各种声响，同学们也表现出各种情状。有的潇洒地走出去，显得胸有成竹；有的慢慢腾腾地站起来，眼睛还盯着试卷；有的急三火四地加紧动作，赶忙再添上几笔。收卷的老师距我只有两桌之隔了，而我的最后一道题再有半分钟才可大功告成。抓紧时间，争分夺秒，攻下这个城堡！可越急越添乱，本来很有把握的，这时却理不出个头绪，真是乱了方寸。我那被同学们羡慕的"英雄"笔在卷子上空犹豫不定，写不出只字片语。"老师，再给半分钟！就半分钟！"我在心里向老师暗暗乞求，浑身冒汗。

✽人们的神态动作各不相同。做题的，手里拿着笔不停地算着、写着；被问题难住的，趴在桌子上，把头深深埋在臂弯里思考，一会儿又一下直起身来；背题的，表情动作更加复杂，一会儿眼睛狠命地盯着书，好像要把书上

的每一个字都生吞下去，一会儿又双手捂住耳朵，紧闭着眼睛，嘴里嘟囔出一长串的话——没有谁能听出个数。靠墙边两位研究学习题的同学脑袋都快贴在一处了……

✲一扇绿门隔住了外边的欢声笑语，教室里是那么静悄悄、静悄悄；请把脚步放得轻些，再轻些吧，切莫把自己的同学们打扰。你看，有的同学正在看书，有的同学正在翻阅资料，还有的同学正掩卷沉思，仿佛遇到什么疑难问题在思考……呵，每当我走进教室，就好像置身在春雨过后的田间小道。清翠欲滴的田野是多么静谧呵，茁壮的春苗正拔节长高……

✲我把卷子拿回家，哆哆嗦嗦地拿给爸爸。爸爸看到我签的字，气得脸都发青了。试卷在他手里索索发抖。我从来没有见过爸爸气成这个样子，害怕极了。一会儿，爸爸突然说："把手伸出来！"我连忙把手藏到背后，身子直往后缩。爸爸一把拉过我的一只手，把它掰开，然后举起他的那只大手。我吓得浑身发抖，眼泪一下子涌了出来。我透过泪花，惊慌地望着爸爸那只大手。可是，好久好久，那只大手却没有打下来，最后慢慢地放下了。爸爸严厉地说："你知道这是什么行为吗？这是欺骗！欺骗老师，欺骗家长，也欺骗你自己。"然后，他口气缓和下来，语重心长地说："一个人从小就要诚实。学习不好，可以努力赶上去，但是养成了弄虚作假的坏习惯，那就永远也不会进步。"我泪汪汪地点点头，用钢笔把我签的那个名字划掉。爸爸在试卷上签了名，还写了一句话："在任何时候都要做一个诚实的孩子！"

✽今天上午第二节课是美术课，刁老师教我们剪贴添画——“春天的花”。我先用黄色的纸剪成一片片小花瓣。有滚圆滚圆的，也有椭圆的和三角形的。接着，我把它们都贴在作业纸上，拼成了几朵美丽的小花。然后，我拿起彩笔，在花上面画了几只花蝴蝶，在花下面添上绿绿的叶子和小草。我还画了几个小朋友站在花旁浇水。最后，我又在天上画了红色的太阳和蓝蓝的云彩。我多么喜欢这张画啊！

✽我也开始注意学习修辞。我看小说时，旁边常放着一个小本本，遇上精彩的句子或词语，就随手记下来。小本本的扉页上写着“行文用字，应该是——平字见奇，常字见险，陈字见新，朴字见色。”我把这句话当作座右铭。我分门别类摘抄词句，如“名言”、“名诗”、“名词”、“写景”、“人物”、“谚语”、“歇后语”、“成语”。我把自己编的，仅给自己看的这本资料，称为《小辞源》。至今，我仍然保存着它，写作时要用到它。例如，今年一月至三月，广州《羊城晚报》连载我的中篇小说《鬼山黑影》，其中所引用的闻一多的诗《色彩》，就是从这本《小辞源》上摘抄下来的。

✽一个星期五下午，数学老师怒气冲冲地闯进教室，好像要用尽她平生力气似的大喝一声：“你给我站起来?”那是在指我呀，我战战兢兢地站了起来。老师冲到我面前，把一张试卷“啪”地拍在我面前，盯着我喊道：“你看你考的。”顿时，我惊呆了，一个大大的69分映入我的眼帘，这可是我上学以来最差的一次成绩。同学们都用一种惊异的可怜的目光望着我这个一直成绩优秀，而最近成绩却直线下降的学生。我知道，都是那本武侠小说搞的鬼。悔恨的泪水模糊了我的视线。老师严厉责备的话语我没有听见，同学们的小声议论我没有听见……

2．同学之间

◇精美词语

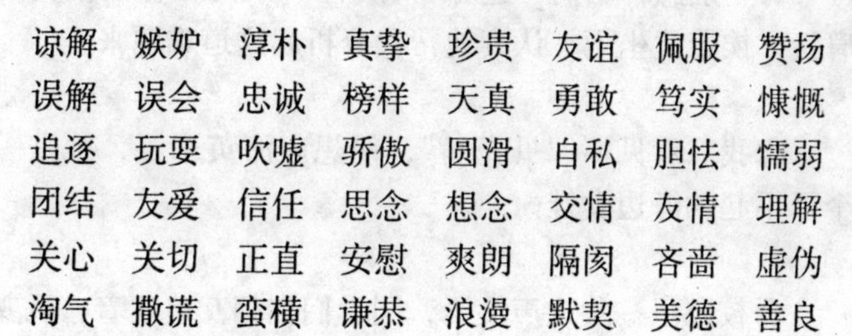

谅解　嫉妒　淳朴　真挚　珍贵　友谊　佩服　赞扬
误解　误会　忠诚　榜样　天真　勇敢　笃实　慷慨
追逐　玩耍　吹嘘　骄傲　圆滑　自私　胆怯　懦弱
团结　友爱　信任　思念　想念　交情　友情　理解
关心　关切　正直　安慰　爽朗　隔阂　吝啬　虚伪
淘气　撒谎　蛮横　谦恭　浪漫　默契　美德　善良

◇常用成语

情同手足　形影不离　同窗密友　莫逆之交　与日俱增
友谊长存　珍惜友谊　亲密无间　促膝谈心　以诚相待
情深意切　情深似海　情深意长　情投意合　情淡如水
细心照料　良师益友　朝夕相处　不理不睬　爱搭不理
团结友爱　互相帮助　雪中送炭　握手言和　携手并肩
指桑骂槐　推心置腹　和盘托出　不谋而合　拂袖而去
面红耳赤　刮目相看　开诚布公　一团和气　心直口快
激动不已　不遗余力　三五成群　幸灾乐祸　一刀两断

◇绝妙句子

✽他趁小丽不注意，偷偷把她的凳子抽了出来，然后幸灾乐祸地等着瞧热闹。

✽我错怪她了，我感到我深深地伤害了她，我的心怎么能安宁呢？

✽“别急，咱们一起分析分析。”张帆说着拍拍我的肩膀，挨着我坐下，认真地帮我分析起这道难题来。

✽我一看见那“贝壳鸟”，便想起海英来了，她是一个了不起的海边女娃……

✽校园里一片欢声笑语，同学们在相互追逐着，玩耍着，有的在爬竿，有的在跳远，还有的在打羽毛球，只有女同学三五成群地跳橡皮筋，并且轻快地哼着歌曲。

✽他朝我笑了笑，拍拍我的肩膀，诚恳地说：“上次的事都怨我，对不起。咱们和好吧。”

✽“从现在起，咱们一刀两断！”白娜朝李颂喊起来，然后气哼哼地转身跑开了。

✽他俩像斗架的公鸡，都是脸红脖子粗的，你骂我一句，我骂你一句，满嘴脏话，谁也不让谁。

◇华彩语段

✽我们的出现显然使他感到十分惊讶，只见他嘴巴张得老大，眼睛瞪得圆圆的，小队长高梅带头叫了一声“新年好!”大家也跟着叫了起来。小沈听了只会连声说：“欢迎，欢迎。”大家围着桌子坐下，高梅第一个递上了红包，对小沈深情地说：“小沈，我们知道你缺少温暖，特意组织了这次小队活动，这红包是大家的一点心意，希望你能够收下。”高梅又给大家递了个眼神，顿时一只只红包塞进了小沈的怀里。有的说：“给你，你用它买些学习用品。”有的说：“你用它买些东西去看爸爸吧!”……小沈感动了，用颤抖的手抚摸着一只只红包，激动得半晌没出声。高梅为了打破这一沉闷气氛，就把手中的黄松糕放在桌上，说：“这是我妈妈做的，她知道我们来看你，特意做了这点心叫我带来，你快吃吧。”也不知怎么，“咚啦”一声，什么罐头啊、蛋糕啊、巧克力呀……一大堆物品放满了桌子。中队长小明还说：“小沈，我妈请你明天去吃午饭。”这时，小红也站起来说：“我弟弟请你去放爆竹。”“我爸爸请你去玩。”顿时一双双热情的手握住了小沈的手，每个人以真挚的目光望着他。小沈激动了，一颗颗晶莹的泪珠滚落了下来。这是高兴的眼泪，这是友情的象征。

✽一次冬季长跑训练，我刚跑出六七百米，就觉得脚下发软，累得上气不接下气，恨不得一屁股坐在地上再也不起来。可是看到别人都在坚持着，我也只得咬着牙向前跑。又跑了百十来米，觉得实在受不了，就停下了脚步。刚喘了几口粗气，他就不知从哪儿冒了出来，一把拉住我，撒腿就跑："毛大头，男子汉，别停下，跟我跑！"他是班里有名的"飞毛腿"，我哪能比得上他呀，但被他牵着又挣脱不了，只好豁出一切了。一路上，我气喘如牛，大汗淋淋；他却是健步飞跑，轻松自如，硬是把我像牵羊一样"牵"到了终点。一到终点，我就"扑通"一声瘫倒在地。他不仅不同情我，反倒像先生似的"教育"起我来："学习嘛，当然得刻苦，不过嘛，身体也得锻炼，不然可能成了个书呆子。做事嘛，就要坚持不懈……"我躺在地上哭笑不得，可心里算是服了他……

✽可现在，真是"冤家路窄"，偏偏我这个笨嘴拙舌的人，弄脏了小辣椒的白球鞋！我不知如何是好，低着头说："对不起，对不起……"话一出口，我又后悔了：小辣椒又该说"对不起能值多少钱"了。可是，半天不见回声。我更慌了，连忙掏出手绢，要去擦那白球鞋上的黑点儿。就在这时，蒲银玲抓住了我的胳膊，把我拉了起来，只见她笑眯眯地望着我说："刘晓红，看你说到哪儿去了。"我仍忐忑不安地说："这洁白的鞋……"蒲银铃打断了我的话说："鞋脏了，可以洗干净！刘晓红，你别在意……过去，我语言不美，伤害了不少同学，给大家留下了不好的印象，今后你可要多多帮助我。"我惊奇地睁大了眼睛，竟呆住了，这是小辣椒的话吗？……

✽郭萍拿了电影票从办公室出来，走到门口，先挑了一张塞进衣袋里。正巧，被眼尖的张兰发现了，于是她一阵风似的跑回教室，把她的发现告诉了几个同学。待郭萍走进教室，张兰她们几个就围在一起，满脸不悦，七嘴八舌地议论起来，旁敲侧击，给她话听。郭萍开始发票了，

张兰得到一张靠边的票，就气哼哼地要求换票。郭萍摇摇头说："不行，要是都换票，那不乱套了吗?"张兰冷笑着说："哼，说得好听，就是……反正我是不会藏好票的!""你……你说谁，谁藏好票啦?"郭萍满脸委屈，结结巴巴地说。"你，就是你!"张兰理直气壮地指着郭萍说。"拿出来，让我们看看!""心里没鬼，为什么不敢拿出来!"几个同学也跟着起哄。"拿出来就拿出来!"郭萍坦然地从口袋中把票掏出展开，大家一看竟是全班最差的，不禁愕然，张兰更是愧悔交加，无地自容。

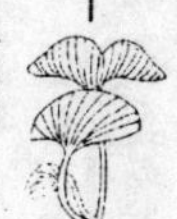

✽今年春天，我们天津市 20 名小学生，应邀和日本友好之船的小朋友们一起，乘船到日本访问……

第三天，船驶进公海，巨浪一个接一个向轮船扑来，船颠簸得更厉害了，我病得更重了。我躺在床上，仍不停地呕吐，连吃饭的力气也没有了。我恨不得自己的病马上好，好和日本小朋友一起度过这短暂的海上生活，我正想着，忽然一个叫平泽友香的日本朋友端着一盘热气腾腾的饭菜走过来。她坐在我的床边，指了指饭，又指了指自己的嘴巴，让我吃饭。我难受得要命，痛苦地摇摇头。平泽友香用那双水汪汪的大眼睛望着我，好像在说："吃了吧!吃了就会好的。"她端起盘子，用筷子夹起一根面条，小心翼翼地送到我嘴边。我被平泽友香的盛情感动了，含着眼泪咽下面条。日本小朋友对我们的友情是多么深啊!

✽教室里简直乱成了一锅粥，怎么办?对，杀一儆百!于是，我瞪着眼睛，怒气冲冲地朝闹得最欢的崔金亮吼起来："崔金亮，你站起来!看你那德性!"他仿佛聋了似的，对我的话根本无动于衷。我走过去想扯他，这时，传来阴阳怪气的声音:“好嘛,吃黄河水长大的——管得倒宽。”我扭头一看,立刻气得火冒三丈,说话的竟是崔金亮的组长邱亮。这不是存心作对吗?我三步并作两步来到邱亮面前,指着他的鼻子说:“你是组长,不管他,还同我作对,像话吗?”他不紧不慢地说:“这样训人,我看不惯!”他这么一说,把我气得像暴怒的狮子,又吼起来:“你,你也站起来!”邱亮脸朝天花板,直翻白眼,对我不理不睬。

3. 师生情谊

◇精美词语

教导 教诲 和蔼 和气 和善 和详 慈祥 亲切
随和 威严 操心 操劳 辅导 辛苦 勤恳 偏心
关切 关怀 谈心 交心 沟通 说服 爱护 教育
责备 严肃 严厉 严谨 清贫 指导 指教 疼爱

◇常用成语

付之一笑 引经据典 呕心沥血 伏案疾书 勤勤恳恳
满面春风 满面笑容 一脸怒气 神情庄重 神采飞扬
关怀备至 体贴入微 语短情长 亲如一家 不闻不问
言传身教 旁征博引 喋喋不休 出口成章 促膝谈心
深入浅出 桃李芬芳 一身正气 两袖清风 凝神注视
若即若离 不远不近 不冷不热 漠不关心 难以忘怀
眉飞色舞 目光炯炯 咄咄逼人 声色俱厉 目光严厉
推心置腹 喜笑颜开 眉开眼笑 喜形于色 殷切期望

恩重如山 平易近人 温文尔雅 俯首贴耳 俯首听命
温和慈祥 和颜悦色 谈笑风生 滔滔不绝 兢兢业业
循循善诱 耐心细致 尽心尽力 尽职尽责 提心吊胆
百问不烦 治学严谨 为人师表 因材施教 因势利导
热情洋溢 不慌不忙 心平气和 绘声绘色 口若悬河

◇绝妙句子

✽“别怕，好了，这就好了。”李老师一边亲切地安慰我，一边细心地替我包扎伤口。

✽见“小雕塑家”还在全神贯注地捏着橡皮泥，陈老师伸出纤细的手指，在他的桌上轻轻地敲了两下。

✽大家一拥而上，围住老师，有的给她擦汗，有的替她揉胸口，有的去找药端热水，有的急得不知所措，光站在那儿哭。

✽老师并没有大发雷霆，只是用责备的目光看了我一眼，然后拉我坐下，语重心长地说……

✽“老师病好啦！老师又能给俺上课喽！”同学们欣喜若狂，欢呼着跑过去，把田老师团团围住，问长问短，就像见到了久别的最亲的人似的。

✽老师的脸“刷”地拉长了，样子好凶啊，同学们像小老鼠见了猫大王似的，一个个心惊胆战。

◇华彩语段

✲我的小腿正好撞在大石头上，疼得我又哭又叫，满地打滚。何老师闻讯赶来，急忙蹲下来抱起我，关切地说："徐成，你怎么了，快告诉我！"见了老师，我的哭声小了点儿，"腿，我的……哎哟——！"她捋起我的裤管一看，见到我的小腿又青又肿，还流了不少血，二话不说，把我背起来，撩开大步就走。她一边走，一边柔声地安慰我："别怕，少先队员要坚强！到医院包扎一下就好了。"老师背着我，在坑坑洼洼的小路上深一脚浅一脚地连走带跑，累得气喘吁吁，汗流浃背。

✲在沉思默想的时候，我们不知不觉地走入了大森林。老师的坟墓到了。上面是新土，还挺湿的。我们围着坟墓席地而坐，摆上老师爱吃的水果，唱起老师生前喜爱唱的歌："鸽子啊，在蓝天中飞翔……"一曲唱完，大家抱头痛哭。那哭声是那么悲哀，连天上的小鸟，周围"哗哗"作响的树林，山中摆动的小草，都静了下来。……该走了。我们摘了些小花，插在坟上。那黄黄的一圈小花，是我们献给老师的花圈。李老师，您安息吧。

✲那天上课时，我又犯了老毛病，钻到桌下玩起了橡皮泥，惹得大家哄堂大笑。"周万灏！"听到有人喊我，我答应了一声，从桌下一抬眼，看见了板着面孔的王老师。糟了！我心里一惊，想象着随之而来的结果：起立、立正、靠边儿站——因为爸爸就是这样管教我的。可是，王老师却没这样做。"请坐好，认真听讲。"她用责备的目光看了我一眼，态度温和地说，然后又开始讲课了……下课

铃声响了，我急忙站起来，想逃跑躲开王老师，却被她叫住了。王老师亲切地把我拉到她的身边，整理着我的一头乱发，语重心长地说……

✽教师节将要来了，我要送给老师一件最好的礼物。我悄悄地问老师："您需要一件什么样的礼物呢？"老师微笑着对我说："你猜猜。"我忙说："我要送给您一个甜丝丝、水灵灵、又红又大的蜜桃。"老师摇摇头。我又说："那我送给您一条可爱的小金鱼。"老师还是摇了摇头……忽然，我想起奶奶说过，待我长大了，给她买个老花镜。我看到老师那满头银发，看到她慈祥的脸上那副褪了色的老花眼镜，是想让我买个老花镜吧？于是我又说："老师，我给您买个老花镜吧！"老师仍然摇摇头。哎呀！老师不要蜜桃，不要小金鱼，也不要老花镜，到底想要什么呢？噢，我想起来了，我想起来了！我高兴地拉着老师的手大声地说："老师，我知道您要什么了，您要我好好学习，长大当科学家，到那时，我一定选一辆既能在陆地上自动行走，又能在空中任意飞行，还能自动排除障碍的飘行车，让老师坐着它周游全世界……"老师听了我的话，点点头，脸上露出欣慰的笑容，笑得那样亲切。

✽我从读小学三年级起就没有妈妈了，但是我从吴老师那儿得到了母爱。记得有一天下午，我在操场上玩耍时，只听见"刺"的一声，衣服撕破了。我望着衣服撕破的地方，心里非常难受，坐在那里悄悄哭了起来。吴老师知道了，在校园角落里找到了我，亲切地拉着我的手，走到水管边说："来，洗一下！"她掏出手绢，给我把手脸擦洗干净，又把我带到办公室。她找来针线，一针一针地给我补衣服，一边补，一边轻声地嘱咐："以后玩的时候要小心。"我看着她耐心地给我缝衣服，听着她轻言细语的谈话，一股暖流涌到我的心间，我真想扑到吴老师怀里，亲切地叫她一声"妈妈!"

✻该上课了。同学们藏好各自的礼物，坐得端端正正，带着微笑，等待老师的到来。王老师夹着课本和备课笔记快步走进教室，登上讲台，然后同往常一样环顾大家一下，就宣布上课了。"祝老师生日快乐!"大家"刷"的一下站起来，异口同声地喊起来，然后合着掌声，献上我们心中的歌："祝你生日快乐……"歌声结束了，又是一阵热烈的掌声。随后，同学们纷纷离开座位，走上前去，有的送上自制的贺卡，有的送上采来的鲜花，有的献上写着小诗的手帕。

三、参观游览

1. 参 观

◇精美词语

美妙 动情 缅怀 瞻仰 赞叹 气魄 气概 气势
概貌 盼望 渴望 激动 热烈 思绪 想象 联想
神往 飞驰 感动 感染 感慨 动人 惊奇 称奇
了解 讲解 解说 介绍 说明 认识 解释 概况

◇常用成语

整装待发　兴致勃勃　缅怀先烈　可歌可泣　油然而生
百感交集　前赴后继　感人肺腑　引人注目　稻谷飘香
苍松翠柏　凝眸观赏　肃然起敬　仔细端详　登高远眺
碧波荡漾　麦浪滚滚　硕果累累　举世闻名　身临其境
历史悠久　井然有序　整整齐齐　宽敞明亮　浮想联翩
古色古香　技艺精湛　波光粼粼　今非昔比　形势喜人
心潮澎湃　心潮起伏　情不自禁　热血沸腾　琳琅满目
名胜古迹　开阔视野　增加知识

◇绝妙句子

✽“哇——！好漂亮的梅花鹿呀！这么多！”看到梅花鹿涌出栅栏，我们的眼睛简直都不够用了，高兴得手舞足蹈，欢呼雀跃起来。

✽刚进入另一展厅，同学们立刻眼睛一亮，不由自主地加快了脚步，“忽啦”一下把巨大的恐龙化石围个风雨不透。

✽“别急，别急嘛！”高阿姨笑眯眯地安慰着我们，然后作了个“请”的手势，领着我们边走边谈，朝控制中心走去。

◇华彩语段

✽走进大楼，就来到宋奶奶纪念堂，迎面就是宋奶奶的巨幅半身画像，她那和蔼的目光中闪耀着慈祥的光彩，嘴边还露着微笑，好像在向我们亲切地问好。这时，我感到真像在宋奶奶身边那样温暖、幸福。画像两边的木板上刻着绿色的小字，这是宋奶奶的题词：愿少年儿童树新风，遵纪守法，有健康的身体，有知识，有志气，为祖国做贡献。”宋奶奶的殷切教诲，倾注了她老人家对我们无限的爱，字字句句像春风雨露一样洒在我们心田。纪念屋周围的橱窗里陈列了宋奶奶和小朋友们在一起的很多相片，有的是宋奶奶和外国小朋友合摄的；有的是宋奶奶和少数民族小朋友合摄的，有的是宋奶奶和演出的小朋友合摄的……你看，宋奶奶把孩子们搂得那么紧，那么亲，她老人家笑得那么欢。孩子们挤在宋奶奶的身边，都用天真、甜蜜的笑脸向着宋奶奶……

✻“瞧！这盏灯真有意思！”爸爸对我说。嗬，可不是！在碧波荡漾的大海里，一只调皮的小龙追一个宝珠。可追了好长时间，还没追上。看样子，它也着急了，拼命地追呀追呀。那宝珠好像故意戏弄它，使劲地跑呀跑呀，小龙怎么也追不上。哎呀，笨蛋！我都替它着急。我还没看够，就被闹闹嚷嚷的人群，卷到了一盏鲤鱼灯前，它的嘴巴一张一合，鳞片闪闪发光，尾巴一摇一摆，像是在无边的大海里游动，两只大眼睛一眨一眨的，似乎要跳过龙门，寻觅可口的食物。

✻我们走进了动物展览厅。啊，那只老虎真凶，前爪一只举起，一只按住巨石，昂首挺胸，威武极了，走近一看，原来是模型，像真的一样。我们还参观了鱼类、猿类、蛇类等一些动物标本。游览了动物展览厅后，我们又来到了古生物展览厅，看到了巨大的恐龙骨架化石，全身长足有五米，细长的脖子上顶着小脑袋，真有趣。这些古

生物都有很高的科学研究价值。最后还参观了南极考察展览室，室内陈列着海狮、海豹等动物标本。自然博物馆的确名不虚传，值得参观。

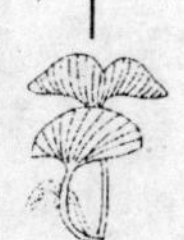

✲跟着妈妈，我走进了一间病房。看起来，它和其他医院的病房一样非常洁静，墙壁雪白雪白的，窗户明明亮亮的，每个墙角都摆着一张木床，被子很洁净，叠得也齐整，灯笼式的蚊帐挂得一样高。整个病房给人一种很舒适的感觉。病房里，医护人员有的在帮患者换衣服，有的在给患者服药，有的在同患者唠家常——这大概就是人们常说的心理治疗吧，我想。走出病房，我们来到了患者活动室。在这里，患者有的在打牌，有的在下棋，神情都很专注；电视机前，几个患者正专心地欣赏文艺节目，看到精彩处，他们便鼓起掌来。

✲一跨进雨花台的柱式大门，迎面望见一座巨大的烈士群像的石雕，石雕上的每位烈士，身份年龄、神情动作各不相同，但都怒目注视着前方，这大概是临刑就义前的瞬间，向敌人喷射的最后一颗子弹吧！石雕的底座，粗糙坚实，连成一体，象征了烈士们团结战斗，坚定不屈的精神风貌。加上背后那苍松翠柏的绿色屏障，越发衬托出烈士们永垂不朽，万古长青的高贵品质！我们在群像前默默伫立，深深思索……

✲解放军叔叔们的队列表演开始了。只见叔叔们一个个站得像青松一样笔直，一列列排得像刀切的一样齐整。随着命令的下达，他们向左转、向右转、向后转，正步走、跑步走、踏步走，身转得同样快，脚抬得同样高，臂

摆得同样大，步伐同样匀称。再听那口号声吧，也是同样的整齐，同样的洪亮，简直是惊天动地。看到这儿，大家都情不自禁地热烈鼓掌。紧接着，叔叔们开始为我们表演擒拿拳术。随着一声口令，他们向前跨出刚劲有力的一步，同时挥起铁拳，从下向上闪电般猛地击出；突然阵势一变，猛地出腿就地一扫……烈日下，叔叔们尽管汗流满面，但没有一个人擦一下汗水，跨步、转身、腾跃、出拳……仍然一丝不苟地演练着。

✽早晨五点钟，我们排着整齐的队伍，在老师的带领下，登上笔架山等着看日出。我们登上山顶时，头上的月亮和稀疏的星星还迷恋着夜色，不肯隐去，脚下一层乳白色的浓雾笼罩着整个山峰。不一会儿，东方开始发亮，出现了一块胭脂红的斑点。星星悄悄溜走了，月亮慢慢消失在天幕中。雾气也变得淡薄了，在山坳里流动，像缎带似的环绕着笔架山。天边，几片发红的云彩，不知不觉镶上了金边。我知道，太阳马上就要升起来了。“太阳，太阳出来啦！”不知是谁第一个发现了刚升起的太阳，同学们都跟着欢呼起来。欢呼声中，太阳使劲冲破雾层，露出小半个脸。一蹦一跳，半圆——扁圆——整圆，最后终于冲出了地平线。

✽我们随着人流走进博物馆。哇！好大的博物馆呀！这里有许多展厅，其中那座最大的圆形建筑最引人注目，那正是兵马俑展厅。我迫不及待地拉着妈妈走进展厅，心中立刻涌起了一种说不出的激动，不由惊叹道：“OK，太神奇了！”只见大厅的地面上有一个足有百米长、七八十米宽的巨坑，坑内陈列着密密麻麻、整整齐齐的泥塑武

士。虽然是泥塑的，但一个个跟真人一般大小，仿佛就是活人在那里操练。你看，兵马俑穿着战袍，套着盔甲，足登战靴，头的右侧都挽成一个发髻。他们手中拿着盾，个个紧闭双唇，圆睁二目，神色严肃。

✽春天来了，长城穿上了鲜艳的新衣。瓦蓝的天空下，树木生机勃勃，绿草如茵，花儿姹紫嫣红，绚丽多彩。夏天，长城换上了绿装，一切都变得那么绿。就连天也变得像大理石一样的清亮。那郁郁葱葱的树木，像身穿军装的卫兵，威武地挺立在长城脚下。秋天，长城像披上了火红的斗篷。那一棵一棵的枫树就像一个个披甲戴盔的勇士，保卫着我们祖国神圣的土地。冬天来了，长城银装素裹，那巍峨的山峰挺立在树丛之中，显得更加雄伟壮丽了。长城像一条白色的巨龙，弯弯曲曲，蜿蜒在崇山峻岭之中，看不到头，望不到尾。

✽一进养鱼场，我们就看见五个并排着的长方形养鱼池，碧水荡漾，波光粼粼。急忙走近前去俯身下看，但连一条小鱼也没发现。“鱼在哪儿？在哪儿呀？”我急得直喊。“别急，别急嘛。”领我们参观的杨叔叔一边安慰我，一边打开养鱼池的闸门放水。渐渐地，池水降下去了。“鱼！这么多鱼！”同学们惊叹起来。只见一群群浑身发亮的鱼你挤我，我挤你，好像在竭力争抢着什么，又像在一起窃窃私语。中间夹杂着的那几条红色的大鲤鱼，不停地在水里翻腾，更惹人喜爱。“这些鱼长得快吗？”我突然又想到一个问题。杨叔叔说：“当然快啦！二两重的鱼苗，半年就可长到三四斤重。”“这么快！靠什么方法？”“先进的科学技术——流水法，这在国内可不多见哟！”

2. 游 览

◇精美词语

环视 远望 眺望 鸟瞰 凝视 凝眸 欣赏 享受
流连 风景 秀美 险峻 壮丽 浩淼 辽阔 隐约
游览 浏览 光顾 观赏 仰望 远眺 环顾 俯视
仙境 富丽 绚烂 胸怀 襟怀 心情 心胸 心境
恬静 开阔 豁然 愉快 畅快 快慰 陶醉 尽兴
缥缈 青翠 葱郁 明净 峰峦 碧绿 娇艳 雾霭
清爽 清静 宁静 幽静

◇常用成语

川流不息 摩肩接踵 人山人海 熙熙攘攘 心旌摇动
大饱眼福 映入眼帘 目不暇接 赏心悦目 心旷神怡
叹为观止 巧夺天工 鬼斧神工 别有洞天 峰峦叠翠
布局合理 沁人心脾 俯视四周 云雾缭绕 水明如镜
留连忘返 依依不舍 满载而归 兴犹未尽 诗情画意
拾级而上 鱼贯而入 盘旋而上 人头攒动 游人如织
繁荣兴旺 高楼林立 红墙碧瓦 雕梁画栋 层林尽染
青翠欲滴 花团锦簇 幽香阵阵 玲珑剔透 车水马龙

◇绝妙句子

✲我们沿着潭边绕了一圈，来到潭底，看到一座白色

的宅塔，走近一看，又像一尊笑眯眯的大罗汉。

✽秋季游香山，天高气爽，万里蓝天飘荡着朵朵白莲花般的云彩，游人也为之一展胸襟，不由得豪兴大发。

✽站在冰灯前，我被唐僧师徒四人那惟妙惟肖的造型和滑稽有趣的动作吸引住了，简直像着了魔，要不是爸爸拉我走，真不知道要看到什么时候哩。

✽这里真是灯的海洋，灯的天地！一盏盏点燃起来的灯，远远望去，犹如天女撒下的朵朵金花，又似满天繁星，闪着亮光。

✽我们下了火车，首先映入眼帘的是那蜿蜒曲折的万里长城，只见它像一条巨龙，横卧在山岗上。

✽这里的石头山千姿百态，有的像展翅的雄鹰，有的像打鸣的公鸡，有的山凌空而起，有的山连绵起伏。

✽漫步在莫高窟这座艺术宝库中，浏览着栩栩如生的古代壁画，我才恍然大悟：原来《九色鹿》等动画片是根据这里的壁画故事改编的呀！

✽又窄又陡的山路，像天上倒挂下来的石梯，每个同学都紧紧抓住铁链吃力地向上攀登。

✽雾散云净，青山秀丽，一座座屏风般的悬崖峭壁上，涂抹着胭脂红样的彩霞。

✽登览万春亭环顾远眺，只见南面故宫的金色琉璃瓦顶；笼罩在淡淡的薄雾中，西面的白塔恰似一只白玉瓶，北面的亚运新村高楼林立……

✽到了“小蓬莱”，天还没有亮，我极目远望，只见烟台市灯火辉煌，像千万颗星星连成的星河，天上，大星星，小星星连成一片，像是挂着千百盏电灯似的。

✽我们爬上山顶，向下俯视，只见山径曲折，如一条带子飘落而下，游人似一个个小白点，零零星星地散布在带子上，缓缓地向前移动。

✽我们怀着强烈的好奇心，登上游船，顺着溪清水，向水洞深处驶去，立刻觉得好像进入了仙境一般。

✽放眼望去，蔚蓝的江水缓缓东去，阳光洒满江面，波光粼粼，凉爽的江风徐徐吹来，令人心旷神怡。

✽穿行在牡丹园中，只见一丛丛、一簇簇的牡丹就像女娲炼石的五彩岩浆，像蓬莱仙阁的七色霞光……赤、橙、黄、绿、青、蓝、紫，织成世间无比的大花毯。

✽从这里看西安，它好像棋盘似的展现在那里，山下轻云如纱，环山而绕，树木苍郁，景色宜人。

✽站在山上，向下望去，漫山遍野的水池在阳光下，闪耀着红、黄、绿、白、紫、蓝等各种光彩，像一幅巨大

的彩画铺展在眼前。

✻我们看到了一个有趣的场面：老虎和狮子隔着中间的铁栅栏，面对面地怒吼着，好像在用吼声争夺着“王位”，震得我耳朵嗡嗡直响。

◇华彩语段

✻来到苏州，给人们留下的第一个印象，就是那儿的空气比上海清新，那儿的街道比上海清洁，街道两旁栽着参天大树，这些树木的枝叶合抱起来，使每条街都成了林阴大道，在街道边，在居民家门口，有好多花圃花坛，五色的鲜花，在城市的各个角落竞相开放，我爱我洁雅的故乡。

✻红叶似火的香山，却以它特有的风景吸引住了我。站在山脚下，向山上一望，嗬，一座座山头就像铺上了红色的地毯，又似一朵朵晚霞洒落在山腰间，到处红艳艳的一片。

✻游完了孔庙，又去看孔府，孔庙孔府只一墙之隔。孔府的二道院里，有一道很别致的小门，叫“重光门”。它平时总是关着的，只有皇帝和一些大人物来了才能打开。如今，我们可以随地出入了。传说孔子的后代孔德成出世时，因为“重光门”没有打开，“小圣人”就迟迟不出去，后来把这门打开了，他才踏进了我们这个世界。穿过二堂，进了内宅小门，迎壁上画着一个动物，有人说是麒麟，其实是一头似虎非虎，似龙非龙象征着贪得无厌的怪兽。不是吗？你看它已经得了九件宝贝，可它还是不知足，张开了血盆大口，竟要把太阳吞下去！圣人家用这幅画来标榜他们“清廉”的家风，其实，历史上哪一个封建统治者不是贪得无厌的呢？最后，我们还游了孔府后花园。工人叔叔养了各种各样的花，鲜艳夺目，芳香扑鼻，真叫人陶醉。直到太阳落下山，爸爸才把我们硬拉回家去了。

✻街两旁的饮食摊点炉火正旺，香气阵阵扑鼻，吆喝声不绝于耳。我匆匆看了几眼就垂涎欲滴了，但还是勉强压制住馋虫的蠢动，在摩肩接踵的人海中又挤又钻，穿过锣鼓喧天的艺术廊，钻过琳琅满目的商品街，终于来到了灯展之处。哇——，满眼花灯五彩缤纷，千姿百态，巧夺天工，令人目不暇接。猪灯、鱼灯、孔雀灯、五星灯、蟠桃灯、仙女灯、走马灯……造型各异，色彩多样，新奇有趣，引得游人啧啧赞叹。再往前观赏，更使我兴奋不已。噢，聪明的一休在歌唱，勇敢的哪吒在闹海，一扭一扭的米老鼠在跳舞，阴阳怪气的唐老鸭在给大家贺喜，可爱的白雪公主和七个小矮人……好一个灯的童话世界，逗得小朋友们又喊又叫，又是拍手又是跳！

✻在游览胜地中，苏州可算是首屈一指的，人们常说：“上有天堂，下有苏杭。”山洞其多，怪石嶙峋的狮子林，以优雅舒适的亭台楼阁、小桥流水而著称的拙政园，耸立在云雾中的灵岩山，香烟缭绕的寒山寺……吸引着无数的游客。我的故乡犹如一幅着色的图画，使人飘飘然，如在画中游。我爱我的故乡。

✻清晨，我们迫不及待地来到海边，奋力爬上了山顶

的望海亭。啊！无边无际的大海，碧水和蓝天在遥远处相接，真是水天一色，近处的海浪不断地向沙滩上涌来，发出哗哗声。我情不自禁地喊起来："啊，这是我有生以来第一次看到的真正的大海！"

✽来到题有金字匾额的大门前，我们的脚步逐渐慢下来，整了整衣服，才怀着崇敬的心情走了进去。里边名为"直道坊"的殿宇，其实只是一座普普通通的四合院，朴实典雅，古色古香。我正在观察这里的环境，突然姐姐喊起来："王磊，快来看！"我循声望去，只见正厅里"包公"端坐，头戴乌纱帽，身穿官袍，紫铜色的脸庞，浓眉紧皱，手捋胡须，显出一身正气，仿佛正在审察民情，思索着千古奇案。望着包青天的塑像，我肃然起敬，不禁想起有关包公的那些脍炙人口的故事：皇宫里，与奸臣斗智；大堂上，为百姓伸冤；在堂下，与歹徒斗争……再看包公像的后面，陈列着三口很有威风的铡刀。不用问我也知道，这就是妇孺皆知的龙、虎、狗三铡，是根据犯人身份的不同而设置的，我想，那龙铡肯定铡过陈世美。从正厅走出，我们又来到廉泉旁，只见小亭子中央雕着一条活灵活现的龙，它盘曲着龙身好似正在向井中吐着"廉洁之水"。据传说，廉洁的官员喝了此水甘甜无比，贪官污吏喝了却头痛不止。真的是这样吗？试一试！于是我喝了一口。喝下去之后，我又暗自笑了：试也没用呀，你哪是官儿啊！

四、社会见闻

◇精美词语

热忱 善良 忠厚 高明 英明 伟大 光荣 慈善
宽厚 仁爱 谦虚 美德 同情 相助 谦让 谅解
体谅 理解 关心 关怀 勇敢 楷模 榜样 表率
推崇 杰出 奉献 众望 突出 执著 真挚 勤奋
美谈 无畏 奋勇 英勇 怜悯 友谊 友爱 爱护
新式 奇怪 奇观 奇异 奇景 奇特 稀有 稀罕
稀奇 纳闷 吃惊 惊奇 惊诧 惊乍 罕有 勒索
克制 坦率 新鲜 新颖 新奇 新型 新风 新生

◇常用成语

绚丽多姿 五彩缤纷 张灯结彩 披红挂绿 喜上眉梢
无私奉献 竭尽全力 文明经商 见所未见 百年难遇
啧啧称奇 观者如云 耳目一新 叹为观止 饶有兴致
高风亮节 不遗余力 雪中送炭 两袖青风 救死扶伤
别出心裁 移风易俗 先睹为快 童心未泯 咄咄怪事
灯火辉煌 火树银花 流光溢彩 彩旗飞扬 花团锦簇
增长见识 今非昔比 力排众议 一改旧颜 洋腔洋调
眉飞色舞 笑语喧声 神采飞扬 热情洋溢 万众欢腾

◇绝妙句子

✽大锤一下接一下抡下去，号子一声接一声喊起来，

可是，却都显得有些心有余而力不足了。

✽那个“老外”咧嘴笑了，跷起大拇指，说：“中国小朋友——OK!”

✽汽车还没停稳，司机就打开车门，一看就明白了，大手一挥：“快，抬上来！”

✽父母双方的争执声犹如一个个霹雳在我耳边“炸”响，寒风“呼呼”地似乎要从窗缝中挤出来，我隐隐感到屋里凝固着一层寒气。

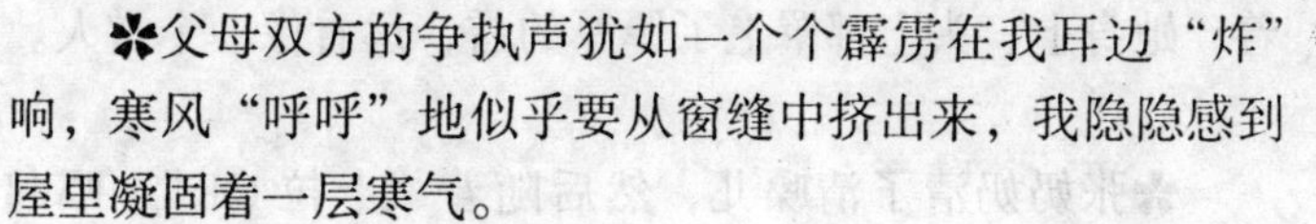

✽人们呼喊着，拎着水桶，端着脸盆，抢着灭火器和各种各样的灭火工具，纷纷扑向火海，展开了一场灭火攻击战。

✽“哎呀，小孩从楼上摔下来了！”这个不幸的消息像长了腿似的，一瞬间便传遍了整个大院。

✽马路上两个年轻人越吵越凶，就像一只只斗红了眼的小公鸡。

✽他循着呼救声飞快地跑来，见小孩儿正在水中拼命挣扎，急得连衣服也没脱，就跳进冰冷的河水中。

✽肇事的车辆刚过去不久，一辆警车鸣着警笛风驰电掣般地驰过来，“吱”的一声停下，下来两位警察叔叔后，又朝肇事车辆赶去……

✽警察叔叔脱下自己的雨衣，给老奶奶穿上，然后背起她深一脚浅一脚地朝前走去。

✽“‘小李子’要出嫁喽!”这消息刚刚传出来，立刻像长了翅膀似的，迅速传遍了家家户户。

✽到了旅馆门口，只见一个服务员蹲在水池边，在刺骨的冰水里给旅客洗被单子。风不停地刮着，雨不停地下着，她身上、头上都罩上了厚厚的雪，远看像一个雪人。

✽张奶奶清了清嗓儿，然后随着“卡拉 OK”，唱起了“妹妹你大胆地往前走哇……”虽然歌声并不美妙动听，可那动作倒挺像港台歌星。

✽爸爸一边掏钱，一边问他一天能赚多少钱。他说：“哎，什么赚不赚的，还不是为大家图个方便!”老人的话像是一把小锤一下一下敲在我的心上，往日我对个体户的印象真是一种偏见。

✽“太贵了，我出五十，可以吗?”他操着生硬的汉语，比比划划开始讨价还价了。

✽小孩子们一个个喜笑颜开，不顾大人的呵斥，举着小灯笼，像鱼儿一样在人海中钻来钻去，吵吵闹闹。

✽优美的《婚礼进行曲》，清脆的鞭炮声，热烈的掌声和欢呼声同时响起来了，一对幸福的新人微笑着款款走来了。

◇华彩语段

✽见叔叔仍然拄着拐杖，固执地站着，小刚眉头一皱，计上心来。他假装惊慌地跑过去，拉住他的手说："快，叔叔，帮帮忙，请帮帮忙吧！""怎么回事？"叔叔愣了一下，随后亲切地问。"走，到我那就知道了。"他搀扶着叔叔，走到座位前面，说："叔叔，请坐吧！""不，不！小朋友，还是你坐着吧！"叔叔连连摇头摆手，急得脸都红了。"叔叔，坐吧，求求你啦！你的腿……"小刚盯着他的眼睛，恳求着。"腿？腿没问题嘛！军人站岗，早就把'战功'练绝了。"他幽默地说。小刚急了，瞪着眼睛，吵架似的大声嚷道："你，你不够哥们儿，干嘛惹我生气？你不坐，我就陪你一直站下去！"他双手叉腰，歪着脑袋，撅着嘴，瞪着叔叔，做出生气的样子。

✽他背起了我，趟着没腰深的水，朝大堤奔去。一股激流突然迎面扑来，他被冲得朝后连连退了好几步，努力地想站稳，可到底还是"扑通"一声跌倒在洪水中。我"咕噜咕噜"连呛了几口水，被呛得昏头涨脑，好不难受哇！大概他也和我差不多。他一边咳着，一边又背起了我，微弓着身子，踉踉跄跄地向大堤奔去。大堤已经不远了，洪水也更深了，几乎没到了他的胸部；洪水也更猛了，打着漩儿，掀起一尺多高的浪头，我觉得他的脚步明显地慢下来，似乎每迈出一步都很艰难，喘气声也越来越粗越急了。于是，我在他的背上动了动身子，说："叔叔……"他的胳臂紧了紧，打断了我的话茬儿："趴好，搂紧，别动！"我只好顺从地闭上了嘴，搂紧了他的臂膀。离大堤只有二三米远了，又一阵浪头从侧面涌来，那浪头

好高啊！他急忙把我从背后转到胸前，用力把我朝大堤上推了过去……

✽蒙蒙细雨中，邮电支局前的小广场比往日更加热闹了。这里，用一排长桌搭起了捐款台，上面铺着塑料布，摆着几个大红的捐款箱，上方悬着“为灾区小朋友助学募捐”的横幅，高音喇叭播放着《人人献出一点爱》这支歌曲。募捐箱前挤满了男男女女、老老少少，他们纷纷慷慨解囊。尤其让人感动的要算那些学前班的小朋友了。他们排着队，一个个捧着各式各样的储蓄盒，踮起脚尖，把盒里的硬币小心翼翼地倒进箱中，然后蹦蹦跳跳地回到自己的队伍中。

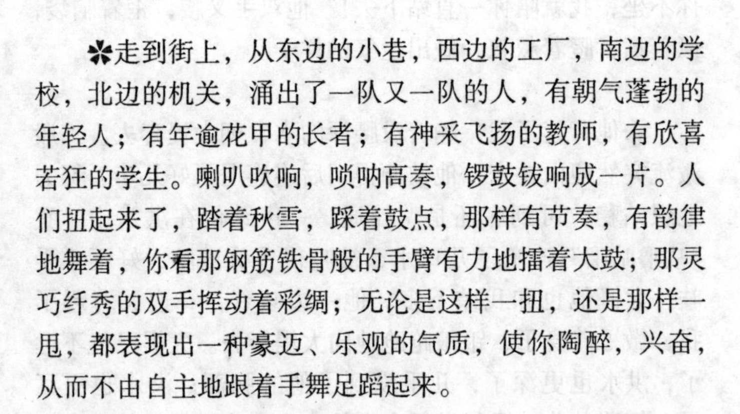

✽走到街上，从东边的小巷，西边的工厂，南边的学校，北边的机关，涌出了一队又一队的人，有朝气蓬勃的年轻人；有年逾花甲的长者；有神采飞扬的教师，有欣喜若狂的学生。喇叭吹响，唢呐高奏，锣鼓钹响成一片。人们扭起来了，踏着秋雪，踩着鼓点，那样有节奏，有韵律地舞着，你看那钢筋铁骨般的手臂有力地擂着大鼓；那灵巧纤秀的双手挥动着彩绸；无论是这样一扭，还是那样一甩，都表现出一种豪迈、乐观的气质，使你陶醉，兴奋，从而不由自主地跟着手舞足蹈起来。

✽只见大街上一拨儿秧歌开始打圆场了。领头的是“沙公子”，他头戴小生帽，身穿鹤氅，手持大折扇，后面紧跟的是乔装打扮的大姑娘和小伙子。走场两圈后，只见“沙公子”跃步跳入场心，双手握拳做个“罗圈揖”，唱个贺年的大喏，热闹的小戏便开始了。这时唢呐换调，锣鼓

的韵律也变得更加昂扬。一对对旱船如同在水上漂，手持“船桨”的老汉在前面像醉翁一样扭来舞去，船里那水灵灵的“大姑娘”（大多男扮的）忸怩作态。正扭到高潮处，后面却冲出几个“刁老婆”。她们手拿棒槌，身穿青大布衫，耳朵上还挂着一红一绿的大辣椒，头上梳着“笊篱把”，脸上还有一个黄豆大的“黑痣”，黄脸朱唇，气势汹汹，大有“棒打鸳鸯”之势，三蹿两跳来到了旱船跟前，与“老汉”开始周旋。“棒”“桨”相撞乒乒乓乓，“丑脸”相对互不相让，似撕似打，似挑似逗，似舞似扭，真叫人啼笑皆非。

✽下午，我们从阿姨家回来，路过弄堂口时，我下意识地张望了一下，咦，那乞丐不见了。再仔细一看，原来他躲在弄堂深处的一个角落里呢！“爸爸，去看看！”出于好奇，我牵着爸爸的手向弄堂深处走去。

✽大叔急得团团乱转，不时双手合十，喃喃祷告：“菩萨保佑，保佑我老娘平安。”这时，大婶领着两个“神汉”走了进来。大叔立刻点头哈腰，满脸堆笑。抽过烟喝过茶之后，尖下颌的“神汉”打着呵欠，用拇指沾了点唾沫，在老奶奶额头和手上抹了几抹，突然脸色大变，声音也变了调：“鬼魂缠身！”“这……这可……可怎么办？”大叔惊恐地睁大眼睛，汗都冒了出来，又是搓手又是叹气。“急什么？去，备香备纸，煮只大公鸡，我包你把鬼魂送走！”……一切准备就绪了，两个“神汉”摆好了东西，点着了香，然后手摇铜铃，开始装神闹鬼，喋喋不休地叨念着莫名其妙的话。

✽啊！那乞丐在喝酒！他的面前放着一张塑料纸。纸上摆着不少我家也很少能吃到的美味佳肴：香肠呀、熏鱼呀、油爆虾呀、牛肝呀，等等，品种丰富极了！而那瓶酒，听爸爸说，还是名酒呢！那乞丐老头喝得红光满面，津津有味，很得意很得意呢！我不懂，我困惑，睁着一双迷惘的眼睛注视着爸爸。爸爸叹了口气说："这是现在社会上出现的一种怪现象：专门有人装作乞丐，干这种不劳而获的事。"

✽夜幕刚刚降临，村村寨寨就格外热闹了。家家户户先用火把房前屋后的火把烧掉，然后又在门前点起了最高最大的火把，有的甚至有两层楼那么高。从高处往下看，广场上，巷子里，家家户户的门里门外到处都是燃起的火把，映红了村寨，映红了夜空，大地明亮得如同白昼一般。火把连成片，好像燃烧的海洋；火把排成行，好像蜿蜒闪动的火龙。前来观光的游人络绎不绝，有其他民族的同胞，也有外国友人，把不算窄的街道挤得水泄不通；汉语洋腔、男音女声的喝彩，此起彼伏，不绝于耳。一伙伙身强力壮的小伙子开始了跳火把的表演，他们一个接一个跑上前去使劲一纵，就敏捷地跳过了齐腰的火把，赢得了一阵又一阵的喝彩声，欢呼声。漂亮的姑娘们身着挂着七星的节日盛装，三个一群，五个一伙，围着高大的火把拉着手跳起纳西人的舞蹈"阿哩哩"。整个村寨都沉浸在节日的欢乐气氛之中了。

✽一大清早，全村人纷纷走出家门，你招呼我，我拉扯他，嘻嘻哈哈涌向汽车站。车站前那柏油路好宽好平好亮啊，就是光着脚丫在上面走也不会硌脚。看着平坦宽阔

的柏油路，老人们眉开眼笑，乐得像小孩似的。王爷爷一手捋着胡子，一手拍着车站牌，张着没牙的嘴一个劲儿地说："好，好，这下我就能在家门口坐上汽车了。好，真好，真是世道好哇！"这时，听得"嘀嘀"几声汽笛响，只见几辆汽车风驰电掣，由远而近，"吱吱"停在了站牌前。几位领导走下车来，简短地讲了几句话后，就拿起剪子开始剪彩了。红绸剪断了，汽车又开动了，掌声、鞭炮声、欢呼声在小山村的上空回荡。

✻门开了，进来的是一个中年乡下人。他风尘仆仆，两手空空，有些拘束地站在那儿。王叔叔倒很热情，满脸带笑地倒茶让坐。我在里间侧耳倾听，原来那个乡下人想求王叔叔批几袋平价化肥。王叔叔一本正经地说："唉，咱们是亲戚，我应该帮帮你，可是又怎能以权谋私为你开这个后门儿呢？廉政抓得紧啊，求你别让我犯错误嘛！"又谈了一会儿，憨厚的来客失望地告辞了。他前脚刚走，又有一个人敲门进来，带着大包小包的，一进门就打开包，把红塔山烟、茅台酒、人参蜂王浆……往桌上堆，随后就直截了当地请王叔叔批平价化肥："局长，本公司想弄点化肥，您看……"王叔叔沉思了一会儿，打了个呵欠，说："好吧，批你10吨。不过嘛，以后不要再大包小包地带东西来，注意影响嘛。"

五、童年的回忆

◇精美词语

调皮 捣蛋 撒泼 撒娇 玩耍 嬉戏 胡闹 胡搅
蛮缠 戏闹 戏弄 追赶 追逐 追跑 假扮 假装
奇特 奇怪 念头 想象 设想 执着 固执 执意
幼稚 稚嫩 稚气 纯真 天真 可爱 鬼脸 怪样
怄气 捣乱 捣鬼 哭喊 哭闹 买乖 卖乖 赌气
开心 愉悦 舒畅 痛快 得意 惬意 索性 横心

◇常用成语

不知羞耻 不懂装懂 引咎自责 自鸣得意 淘气作乱
得意忘形 洋洋自得 问心有愧 问心无愧 暗中得意
异想天开 惊惶不已 自以为是 羞愧难言 突发奇想
无奈之举 无耻之徒 有悖天理 有悖常理 傻里傻气
暗自高兴 悔不当初 自作聪明 无地自容 无中生有
憨头憨脑 灵机一动 痛悔莫及 蠢笨如牛 无脸见人
心里纳闷 皮坚肉厚 苦苦琢磨 莫名其妙 装腔作势

◇绝妙句子

✽我立刻兴奋起来，不管三七二十一，甩掉鞋子，从妈妈手中抢过救生圈，光着小脚丫，欢呼着扑向大海的怀抱中。

✽记得有一次傍晚，我和几个小朋友玩捉迷藏。我看到打谷场上有一堆稻草，就钻了进去。躲藏了一会，竟迷迷糊糊地睡着了，直到外婆找到我时才醒。

✽儿时，静静的夏夜里，我躺在阴凉的竹床上，偎着母亲温暖的怀抱，从密密的梧桐叶的缝隙里看那一点点的星天。

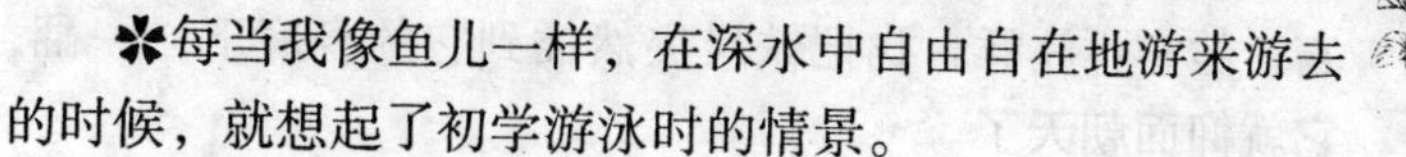

✽每当我像鱼儿一样，在深水中自由自在地游来游去的时候，就想起了初学游泳时的情景。

✽小时候，走路时总喜欢踩爸爸的影子。认为踩住了爸爸的影子，便踩住了爸爸。可每当踩住那高大的影子，又不见了自己的影子。殊不知自己已融入爸爸那又黑又浓的影子里了。

✽年幼的我，常爱数雨点在水面荡起的涟漪，总埋怨它溜得太快，使我无法数清。有时望着雨过天晴的彩虹，试图找出第八种色彩。

✽在记忆的沙滩上，我拼命地跑啊，跑啊，期望追回那永远永远失去的东西……

✽小时候，外婆常常背着我，摇来荡去，哼着摇篮曲，而我却玩着外婆头发缠成的小包包，觉得好像馒头一样，不停地玩弄着。

✽我猛地朝前跨了一步，双手抓住小山羊的双角，使劲儿往下按，而它呢，则使劲儿往上抬头，我们就这样僵持起来。

✽一只螃蟹披着一身紫红色的盔甲，舞着一对“大刀”，圆鼓鼓的眼珠子直瞪着。我蹲下身去刚伸出手，又像火烫着了似的缩回来……

✽我停止了对小乌龟的挑逗，装出友好的态度来麻痹它，趁它不注意，我把铁尺突然插到它的身底下，一翻，它就仰面朝天了。

✽我朝小猴子晃了晃帽子，再戴在头上，反复了几次，就把帽子向它扔了过去，还喊道：“猴儿哥，戴上帽子！”

✽我悄悄凑了过去，猛地伸手去抢那条鱼，小狗却机警地用爪子把鱼按住，示威地闷吼几声，便叼着鱼走开了。

✽我突然威严地咳嗽了一声，趁他一愣神儿，抢走他手中的“小人书”，随手又把他拎起来，大声说：“违犯纪律，罚站五分钟！”

✽他戴上爷爷的破帽子，拿着酒瓶儿当话筒，左手往后一背，腰一弯，学着赵本山的样子，煞有介事地唱起《小草》来。

✽“肃静！肃静！”我瞪起眼睛，怒视着这群调皮捣

蛋的“学生”，使劲儿地敲着“黑板”。

✻我打开班长的数学本，把她正确的结果擦掉，胡乱添了个得数，心中暗想：看你还检不检举我！

✻“不怕……我……不怕你！”我一边发疯似的把木棒朝“鬼影”抡来抡去，一边声嘶力竭地喊着。

✻她双手的拇指顶着耳朵，其他手指直扇乎，做出鬼脸儿，伸出长长的舌头，嘴里发出“呀呀”的怪声。

✻“别过来！别过来！”我把被子紧紧捂着全身，浑身似在筛糠。

✻让布娃娃露在外边，怕她被雨浇感冒；把她塞进我的雨衣里，又怕她喘不过气来，可真把我为难坏了。

✻可是玩具大熊猫就是不肯吃药，我只好掰开它的大嘴，先往里塞药片，再往里灌糖水。

✻收音机的零件已被我弄得东一堆、西一团，要想返老还童，怕是没有希望了。

✻我一边轻轻熨一边安慰它：“小兔兔，别怕，一会儿就好了！”忽然，“嗤”的一声，吓得我赶紧提起熨斗，一看，糟糕！小兔子跑到熨斗里边去了。

✻见董爷爷正在闭目养神，我想这正是下手的好机会，于是偷偷溜到桃树下，像小猴子一样爬了上去，看准一只又红又大的桃子，伸手就摘。

✽我越写越得意，一口气在雪白的墙上写了八句“爸爸真坏”!

✽柔软肥腻的红烧猪蹄膀端上来了，我暗暗吞了口唾沫，一把抓起筷子，不管三七二十一，狼吞虎咽起来。

✽听到叫声，我稀里糊涂，弯腰就捡起一块大石头，正准备砸，却发现那条狗猛地转身跑了。

✽只见小胖儿一挥手，我们立刻跳起身来，呐喊着，冲了过去，把偷车贼团团围住。

◇华彩语段

✽傍晚，我做完作业，兴冲冲地来到王小乐家，冲他嚷道：“小乐，咱们杀一盘军棋吧!”正在画画的小乐，把笔一掷，兴冲冲地来到我身旁，把手一捋说：“杀就杀，我还怕你不成!”激战开始，我的“司令”一马当先冲进对方营盘，犹如切菜似的一下子把他的几个草包将领干掉好几个……

✽夏天，接连不断下了几场雨，浑浊的雨水从四面八方汇集到小石湾里，它就成了一片汪洋。几天过后，它又变成了一面静悄悄、亮光光的大镜子，岸边挺拔的白杨，婆娑的垂柳，还有蓝天白云，都争相在“镜子”里显露出它们的身影。这时，我们这些小淘气会不听家长的再三忠

告，三五成群来到小石湾，脱下裤头，赤条条地钻进水里，又是扎猛子，又是竖蜻蜓，又是打水仗，翻江倒海，一个个像小泥鳅似的，在水里追来逐去，又喊又叫，玩耍嬉戏，真有说不出的惬意。玩累了，我们就爬上岸去，索性躺在软绵绵的绿草地上，让火辣辣的太阳晒得身上每一处都黝黑发亮。有时会顺手抓起岸边的粘泥，捏起大大小小像塔似的“哇唔”，嘴上不住地应答：“哇唔，哇唔，谁赔我？”“哇唔，哇唔，我赔你。”“赔多少？”“一管箩。”然后，一手抓起，举过头顶，向大青石使劲儿摔去。“啪！”溅得满身满脸全是泥。你看看我，我看看你，一个个全像庙里的小鬼儿，笑着，闹着，“扑通！”又跳进小石湾的怀抱里。

✽我在“黑板”上写下一个歪歪扭扭的“王”字，然后教鞭一指：“这个字念王，姓王的王。跟我读：w—ang—wáng。”下面响起稀稀拉拉的声音：“w—ang—wáng。”声音刚落，燕燕“腾”地站起来嚷嚷开了：“不对，不对！那个字念‘yù’，你看，里边还有一点儿呢！”我转身一看黑板，一下就傻了眼：可不，由于写字时紧张，竟在“王”字里点了一个点儿。这时，课堂上有点乱了，大家议论纷纷：“对，是念‘yù’。”“哼，什么老师！”燕燕呢，竟一边撇嘴一边冷笑。我急了，脸红脖子粗地大声叫喊：“肃静！我是老师，我说念什么就念什么！再说话，我……我可不跟你们好了！”

✽……想到这里，我拿起橡皮泥又捏了起来。不一会儿，一位又一位“英雄好汉”诞生了，其中，最好的可能要算是“霹雳火秦明”了。只见他盔上一缕红缨，紫袍上花儿朵朵，腹前腰带打结，狼牙棒铁钉排成排，护肩犹如怪兽狰狞，胯下一匹宝马良驹，我仔细打量着这位猛将，并不时揉揉捏捏加以修改，渐渐地我的身心都沉浸在“他”身上，真是如醉如痴……

✽我朝猴子扔过去一根香蕉，香蕉还没等落地就被一只大猴子接住了。只见它像人一样剥开皮儿，闻了闻，然后津津有味地吃起来。旁边的几只小猴子见它吃得这样香，都用乞求的目光望着我，似乎在说：“我也要。”看着它们那个馋样，我耸耸肩，一摊双手，做着鬼脸儿说：“对不起，没了。”刚说完，我又想到兜里还有糖，于是抓出一把。“猴哥，请吃糖。”我把一大把糖天女散花般撒了出去。过了一会儿，我见猴子挺爱模仿的，就捡起一个还在冒烟的烟头，假装吸了几口，然后扔到一个猴子前面。那猴子见了，连忙用毛茸茸的小手捡起来塞进嘴里，紧接着尖叫一声丢掉烟头直蹭嘴。这一下把周围的人都逗笑了，我更是笑得流出了眼泪。

✽“铃……”我用嘴摹仿着上课铃声，接着说：“今天，我们学拼音字母。”接着，我转过身在黑板上写出 ɑ、o、e，然后用树枝做成的教鞭指着“ɑ”，点了几下说：“这个念啊——，跟我读：啊——”“啊——”我的“学生”一齐张开小嘴，跟着念起来。我又指着“ɑ”说：“它是一个鸡蛋，左下角带一个钓鱼的钩，记住了吗”“记——住——啦！”他们一齐回答……读完字母就开始练习写字母了。我学着老师的样子，背着手在“课堂”上走来走去，看看这个的本子，纠正纠正那个的姿势。见小红一边写字母一边玩辫子，我就直朝她走过去，用“教鞭”敲

敲课桌，又敲敲她的辫子，说声“罚站”就将她揪了起来。小红撅起小嘴哭了起来。我瞪起眼睛，板起面孔说：“憋回去，学习不好还有脸哭！”

✽放假了，妈妈带我去看望爸爸。我看到爸爸那里的油漆工，刷出来的家具亮亮的，发着光，还能照出人影来。回来后，叔叔正好做了一套家具，还没有刷油漆，我想，我为什么不能帮叔叔先漆好呢？于是，我拿来皮鞋油和刷子，把鞋油挤在家具上，然后用刷子轻轻刷起来。一边刷，一边美美地想：一定要妈妈和叔叔夸我能干。叔叔忽然进来了，一看吓了一大跳，叫道：“你这是干什么？”我把鼻子一擦，骄傲地说：“帮你刷家具嘛！”叔叔听了，一把抱起了我，连连摸我的头，哭笑不得。

✽买回盐来，打开袋子一看，盐粒灰不溜秋的。我心想：给它讲讲卫生，要不，吃了会得病的。怎么给盐讲卫生呢？我开始琢磨起来。对，做饭前妈妈总淘米，淘完后，那米就变得白白净净了，我何不也来淘盐呢！想到这儿，我兴匆匆地跑进厨房，把盐统统倒进锅里，打开水龙头，一边冲一边用力搓起来。看着渐渐变得浑浊的水，捞起盐粒看，果然白净了些，我心里美滋滋的，心想：再泡一会儿吧，盐准会白白净净的，妈妈准会夸我。于是，我把锅盖儿盖上，过了十多分钟，揭开锅盖一看就傻眼了，只见大粒的变小了，小的就更小了，更小的没有了，我顿时急了，扯着嗓子喊起来：“妈，不好啦，盐……盐闹鬼啦！”

✽一进家门，我就习惯地去拉灯绳，可灯却没有亮。

唉——，倒霉，又没电了，《聪明的一休》又看不成了。我像泄了气的皮球一屁股坐在沙发上，不停地唉声叹气。天暗下来了，妈妈点亮了蜡烛，看到蜡烛我心里一阵激动：多点几根蜡，使蜡烛的光同灯光一样亮，不就可以看到电视了吗？我找出十多支蜡，一一点燃后，把它们捆到一起，再接在电视插销上，打开电视机，然后坐在沙发上，美滋滋地等着电视画面出现。左等右等，等了好半天电视画面也没有出现，于是哭丧着脸说："蜡烛都比电灯亮了，怎么电视还没开始呀？"

✽清早，我起来一看，啊！外面正飘着雪花。我连忙跑到院子里，伸出双手，接着飘飘悠悠的雪花。可是雪花落到手上，一会儿就化成了水。我一双手都冻红了。还没有接到一片可以保留的雪花。妈妈推开窗子，对我说："傻孩子，你的手是热的，接着的雪花哪能不化呢？""能！我能接到的。"我调皮地说。"你知道雪花是什么颜色的吗？妈妈！""当然是白色呀！"妈妈回答。"不，是红色。"我举着双手说，"你看，我的手都染'红'了！""真是个傻丫头！"妈妈笑着，关上了窗户。

✽记得那是一个炎热的夏天，我和伙伴们玩过家家。我们决定开一个饭店——专卖馒头。可我们没有面粉，怎么办呢？思来想去，我忽然看见了放在台桌上的一盒痱子粉，这白白的痱子粉不是跟面粉差不多吗？于是我背来凳子，放在桌子前，然后爬上去，把痱子粉拿下来，掺上水，使劲揉呀揉。可揉了半天，这"面粉"还是一盘散沙，弄得我全身都是白粉，就是揉不成团。小伙伴们都叽叽喳喳责备我说："真没有用！连面粉都揉不好。"正巧，

这时妈妈回来了，笑着说：“痱子粉没有粘性，当然不成团了！更不能用来做馒头，听见了没有?”

✲期中考试发奖会上，我又是榜上无名。放学后，我垂头丧气地回到家，一屁股坐在凳子上，心里别提是什么滋味了！怎么办呢？我苦思冥想起来，忽然瞄见桌子上玻璃板下放着的大姐的那张奖状，不由得眼睛一亮，计上心来：何不把大姐的名字涂掉，写上我的名字呢？我立即轻轻关好房门，小心翼翼地在姐姐的名字上涂上褪字灵，又工工整整地写上自己的名字。仔细地端详了几遍，认为爸爸不会看出什么破绽了，就坐下装模装样地看起书来。爸爸回到家，头一句就问：“这次得奖了吗?”我作贼心虚，但表面上却装得挺从容，把奖状捧到爸爸面前，还故意把胸脯挺得高高的，等着爸爸的夸奖。爸爸满脸笑容，急忙接过奖状，满意地端详起来。忽然爸爸眉头一皱，我的心立刻紧张得差点跳出来。但瞬间他的眉头又舒展开了，显出格外高兴的样子，说：“不简单呀！孩子，上了不到三年，就获得了中学的奖状！”我一听不对味，心猛地“格登”一下，这才发现奖状下边盖着“三家店乡中”的大章。爸爸说罢脸色变了。“露馅了！”我心里暗自叫道，情知大事不妙，干脆三十六计跑为上策，正欲抽身，哪知爸爸的左手立刻拽住我的胳膊，右手已挑起个木棍来。

✲我从箱子里找来了两个布娃娃做学生，学着老师对学生讲课的样子：“大家别说话，我教你们学多位数的读法。”我在小黑板上写出“684880”这个数。我问：“这个数该怎么读，谁会读，请举手。”我扫视一轮后指着一个布娃娃说：“李小虹，请你回答。”李小虹答对了。我又出

了一道题“8605380”，问“这个数又该怎么读呢?”我指着另一个布娃娃：“曾萍，你来回答。”她故意读错。刚答完，我仿佛听见大家“哄”一声笑了起来。我也仿佛听见曾萍“哇哇”地哭了。我一边帮她擦眼泪，一边说：“别哭了，答错了不要紧，下课以后老师给你补课。”

✽爸爸站起身，进厨房去端下酒菜了。我一个箭步跨到院中小圆桌旁，端起酒杯，一仰脖，把一杯酒咽下了肚，然后便跑进屋藏了起来。说实在的我喝得太急，只觉辣蒙蒙的，如一条线似的直下肚中，爸爸端着一盘辣椒炒肚片出来了，他坐下来夹了一块放进嘴里，接着端起酒杯，发现杯中空空的，又满满地倒了一杯，喝了一口，又进了厨房。我又跑到桌边，提起一块大肚片，放进嘴里，顾不上细咬，端起杯子，一仰脖又喝个精光。跑回小床边，肚子里像火烧一般，直燎到喉咙口……

✽一场雷雨之后，地上泥泞不堪。我跑出家门，召集“小部下”们研究“泥巴射击”。说干就干，我下令：“小强，你挖泥；娜娜，你和泥；小光，你在墙上画靶。”“遵命!”不一会儿，崭新洁白的屋墙上出现了一个大大的“靶子”，一环套一环，像荧光屏里映现的金色电波。我先拿起一块泥巴，瞄准“靶子”奋力扔去，“啪!”不偏不斜，泥巴落在了靶心。“好!”“真有准儿!”“太棒了!”小伙伴们都跷起大拇指称赞。他们手心也痒了，急着要摔。我给他们排好顺序，站在墙边评判：“第一届少年儿童射击比赛现在开始!”“哗……”我刚说完，就激起一阵热烈的掌声。我得意地点头致谢，然后学着国际足球比赛中那个快嘴播音员的腔调，把手握成个话筒状，嘴里不住地嘟

嘟："小强摔得准，爆炸得也好，美得像朵花；小霞这团摔得不准，爆炸得也不好看，像豆腐渣，还像……还像驴屎绽……""哈……"又是一阵哄堂大笑，伙伴们笑得流出了眼泪。正玩得开心，曹大婶从巷子里拐了出来，一眼就瞥见她家粉白的墙上粘满了泥巴，顿时气得眼圈发红，我一看，傻眼了。

✽我用一根小管子当"听诊器"，把"听诊器"的一端放在布娃娃的胸口，另一端放在我耳朵上仔细地"听诊"，我诊断她得了重感冒，我喊："给病人量体温。"于是表妹就拿来一根小棒当"体温表"，拿出来一看说："39度。"我就叫护士给她打针。表妹用眼药水瓶子当"针管"，又拿来棉签，把它放在开水里点一下就拿出来。然后，"护士"把棉签对准布娃娃屁股擦了一下，就往布娃娃屁股上打针。然后我拿来几个空瓶子和一团团小泥丸。把小泥丸放在瓶子里交给布娃娃，还说："每天都要吃三次。"布娃娃睁大眼睛说："好。"我又说："以后要注意穿衣服，别伤风。"

✽有一次，我和同学们学着电影里的样子，做起打仗的游戏。我们的小伙伴可真多，大大小小有二十来个。听见一阵冲锋号，战斗开始了。"冲啊"，"冲啊"，"轰隆""啾啾"的枪炮声，呼喊声此起彼落。忽然，电话铃响了，拿起耳机，只听见话筒里传来司令员的声音："一号、一号，508高地有敌人，速派两个连去进攻！""是，一定完成任务！"说完，我带领人马马上冲上508高地，分散埋伏在草丛里，敌人进入射击圈了，我军马上发起大规模进攻，"火车"一起压向"敌人"。战斗胜利结束了。

✽天下着大雪，人们都穿着棉衣，可我的塑料小水壶上的“小妹妹”还穿着小裙子呢。我怕“她”冻感冒，就捂着“她”急忙往家里跑。跑到家里，我把“小妹妹”小心翼翼地放到炉子上，说：“呆在这儿吧，在这儿就不会冻出病来。”不一会儿，小水壶冒出了热气。嘿，“小妹妹”不冷了，那小鼻子一翘一翘的，好像在感谢我呢。说了声“再见”，我就跑进里屋去玩了。一会儿，我闻到一股焦糊味，跑出来一看：“小妹妹”的小脚丫儿变软了，身体直往下瘫，“她”的周围流着白色的“血”……我傻眼了，愣在那儿不知如何是好。

✽怎样把猫救出来呢？想来想去也想不出办法来，急得我像热锅上的蚂蚁团团转。正巧，有个人扛着鱼竿经过，我立刻有了主意，于是我急忙跑回家取来钓鱼竿，趴在小井边，把鱼钩朝小猫甩过去，说：“乖，快上钩，我救你来了。”可是，任凭我怎么说，它愣是不肯咬钩。忙乎了一阵，我才想到：唉，我真傻，没诱饵它怎么会上钩呢！于是，我又找来一条小干鱼，穿在钩上，再垂下去。小猫嗅到鱼腥味，猛地扑过去，一口叼住小鱼吃起来。我光顾欣赏它的吃相竟忘了起竿，待只剩最后一点点鱼时才往上拽，可能是鱼钩钩住了小猫的嘴巴，它一边惨叫着一边往下打坠乱扑腾。

✽我在上学的路上碰见了一只狼狗。它身子胖胖的，四只腿高高的，拖着一条又松又软的长尾巴，瞪着两只狰狞冷酷的眼睛，龇牙咧嘴活像一只凶恶的豺狼。突然，那只狼狗像饿狼似的猛扑过来，吓得我头皮发炸，直冒冷

汗，心里咚咚乱跳。我眉头一皱，灵机一动，站着不动，会不会把狼狗吓跑？但是我站着不动时，狼狗也只是站着不动，并没被吓跑。我再跑狼狗就追，连接几次都是如此，我真拿它没办法。无奈，我也只好“逃跑”，可是狼狗比我跑得更快，我差点被它咬住。这时，一位阿姨骑自行车从这里路过，她喊了一声：“捡石头，砸它！”听到喊声，我来不及细想，便弯腰去抓石头，没留神，脚下一滑，一屁股坐在了地上。我心中暗叫：“完了，等着挨狗咬吧！”可抬头一看那只狼狗却已经夹着尾巴逃之夭夭了。

✻六岁那年，进小学前的夏天，看到电视上运动员举重以后，我也打了根竹棍，洗了洗，涂上白粉，弄得很像那么回事了，又去找两头的杠铃片儿。可是找了半天，总没合适的，真急人。“飞飞，飞飞，吃早点啦！给！”妈妈把两个烧饼塞给我就走了。嘿，真棒！这两个烧饼不正可以做两头的铁圈儿吗？我把它们穿在竹棍儿两头，又把这个特制的杠铃搁在砖头上，开始自我介绍：“下面由付云飞小姐举重，是最重量级的。”然后，我装着用力的样子抓起杠铃，闭着眼，绷着脸，叉着腿，摇摇晃晃，慢慢把它举过头顶，又放下。于是我找来一根项链戴上，手拿花束放在胸前，兴奋地说：“这位小姐在举重项目中获得金牌。”说着，我站在杠铃的杆上，唱起了《国歌》。“啪”竹棍断了，“圈”也骨碌碌地滚跑了。

✻我上小学二年级时，爸爸送给我和弟弟一对小兔子，我们高兴极了。一放学，我们就给小兔找它们最爱吃的奶浆草、马豆草，有时，还到菜场捡莴笋叶、萝卜叶……没多久，小兔就长得又肥又大，抱着它们已觉得沉甸甸的了。兔子的胆子很小，可是它们不怕我和弟弟。我用手梳理它们白白的柔软的长毛，看着他们那红红的温顺的眼睛和那双长长的会转动的耳朵，我和弟弟真是开心极了。

✻“小羊，过来点啊，我教你走‘钢丝’！”我对小羊轻轻地说。我打开了羊舍的门，照着书上说的样子系好了绳子，然后抱起一只小公羊让它站在绳子上。可羊的四条腿，怎么也不能站在一根绳上。我把羊的腿拨弄了好一阵，它还是没站好，我自己反而弄出了一身汗。我又想出了一个主意，我一溜烟回到屋子里又拿了一根绳子系好，使两根绳子平行起来。这一下羊就站上去了。啊！瞧，羊站在绳子上面，头和身子前俯后仰，嘴里还不停地“咩咩”地叫着，像在磕头，真是出色的滑稽演员呀！看到这情景，我乐得在地上翻了个跟斗，高声地笑着、叫着，拍着手，跺着脚。我的笑声和小羊“咩咩”的叫声，把奶奶也引来了。她看到我把羊弄成了这个样子，哭笑不得，最后忍不住“嗤”的一声笑了起来，边笑边拍着我的屁股骂我是个淘气包。

✻我小心翼翼地把竹竿移近蜂窝，正想去捅，突然“嗡嗡”几声，两只马蜂朝蜂窝飞来，钻进了一个圆圆的洞里。我以为马蜂要来蜇我，吓得一动也不敢动。树下的小伙伴见我吓得这样，都笑了起来。我的脸一阵发烧，气得骂了一句：“该死的马蜂！”大家一听，笑得更欢了，都指着我大声嚷道：“捅呀，怎么不捅啦！”羞得我头也抬不起来。为了消灭这群“害人精”，我咬咬牙，闭闭眼，又将竹竿悄悄地伸向蜂窝，只听见“啪”的一声，接着是一

阵"嗡嗡"声，这时我心里直欢喜，高兴地喊："马蜂窝被我捅掉啦!"我睁开眼往下看，只见无数被砸了窝的马蜂，正气恼地扑向树下的小伙伴，大家一哄而散：有的用手捂住脸，拼命地向前跑；有的连忙脱下衣服，裹住头往地上蹲；有的吓得不知所措，急得直哭，但他们谁也没能逃脱马蜂的"报复"。我指着树下纷纷逃跑的伙伴，笑着说："哈，没本领，真熊……"话音刚落，大概是马蜂发现了真正砸毁它们老窝的"元凶"——我，就"嗡嗡"地直向我飞来。我急忙从树下"哧溜"一下滑下来，抱头鼠窜，但还是没有逃脱它们的报复，被叮得鼻青脸肿。

六、家庭琐事

1. 幸福喜悦

◇精美词语

美满　和谐　和好　美好　和睦　和气　和蔼　幸福
充裕　充足　致富　关怀　体贴　细致　兴旺　舒畅
舒怀　谦和　谦让　欢乐　欢快　欢畅　愉快　教导
喜悦　愉悦　团圆　团聚　原谅　谅解　体谅　富裕
祝福　祈祷　祈福　高兴　甜蜜　和美　恩爱　尊敬

◇常用成语

幸福和睦　和睦相处　幸福美满　温馨舒适　和谐美满
体贴细致　举案齐眉　关怀体贴　相敬如宾　合家团圆

喜上眉梢　天伦之乐　各得其所　怡然自得　怡然自乐
敬老尊贤　尊老爱幼　彬彬有礼　互帮互助　互敬互爱
应有尽有　风调雨顺　国泰民安　心心相印　红红火火
其乐融融　开怀大笑　开怀畅饮　秩序井然　井井有条
丰衣足食　同心协力　同舟共济　同心同德　一心一意
吃苦耐劳　同甘共苦　喜气洋洋　乐不可支　心旷神怡

◇绝妙句子

✽爸爸唱完《特别的爱给特别的你》以后，腰弯得像大虾似的连连鞠躬，还模仿着港台歌星的派头，来了个飞吻，逗得我们全家都哈哈大笑起来。

✽彩绸拉起来了，舞曲放起来了，欢呼声响起来了，为奶奶的生日祝福会正式开始了！

✽爸爸端起一杯酒，站起身来，朝着红光满面的爷爷说道：“爸，祝您老福如东海，寿比南山！”

✽别看我们“家庭晚会”只有我们一家三口，可节目却是精彩纷呈，高潮迭起，比起中央电视台的春节晚会也毫不逊色。

✽妈妈正在聚精会神地思考着，我伸了伸舌头，蹑手蹑脚地爬回到床上。

✽你瞧吧，一家子人个个吃得心满意足，人人撑得肚儿溜圆，有的嘴上还流油哩！

✽晚风轻拂，灯光明亮，全家人开始进入各自的“角色”，妈妈打毛衣，爸爸摆弄图纸，我开始写我的作文。

✽一下子倒把爸爸弄得丈二和尚——摸不着头脑了。我和弟弟洋洋得意地大笑起来。

✽妈妈接过爸爸手中的证书，马上像触了电似的，接着便泣不成声地咽道：“终于……评上了！”

✽“走，到我家里‘画王’去，走哇！”我高兴得简直晕了头，拉了这个，拽了那个，甚至还抱起了琳琳家的小狮狗。

✽爸爸故作深沉，强忍着兴奋的心情，背着手在新房里踱来踱去；妈妈高兴得像捡了个金元宝，乐得不合不拢嘴，这儿摸摸，那儿瞧瞧。

◇华彩语段

✽家里菜地上的土豆成熟了。我的手痒痒了，于是和哥哥也挖了起来。一锹下去，怎么净是半拉的？爸爸告诉我说：“你应从土豆秧的两边挖。”试着再挖，果然是又大又完整。忽然爸爸喊起来：“‘老佛爷’出土了！”我连忙奔忙过去一看，所出土的一个大土豆，如同一尊如来佛。哥哥赶紧把它放在菜园边的四方桌上，只见它圆圆的脑袋，身子胖得连手脚都分不清了。妈妈闻声出来了，在它身前插上三根树枝，口中念念有词：“感谢佛爷保佑我们年年丰收。”看到妈妈一本正经的样子，我和哥哥大笑起来，哥哥说：“丰收是靠我们科学栽种，哪里有什么佛爷保佑?”

✽还有两天就到妈妈生日了，可我还没有想出送什么礼物，正在我心情焦急的时候，数学测验卷子发下来了。我看着那鲜红的100分，心里一亮，这不正是我送给妈妈的生日的最好礼物吗！

✽“后生可畏”，妈妈说的成语好难联啊！可是爸爸竟不假思索，脱口而出：“畏缩不前。”轮到我了，我略一思索，就联了个“前功尽弃”，然后得意洋洋在看着妈妈，心想：看你怎么联。果然，她“卡壳”了，眉头紧皱，手托下巴，眼睛直眨。时间快到了，就要挨罚了，我有些幸灾乐祸了。没想到爸爸要给她打“电话”，我哪能容忍，立刻“掐”断“电话线”，嚷道：“徇私舞弊！罚，罚唱歌！”“好，认罚认罚。”爸爸知道自己违犯了“纪律”。于是，毫不推辞，大大方方站起来，煞有介事地拿起一本书当话筒，左手一背，腰一躬，学着赵本山唱起《小草》来，逗得我和妈妈一起哈哈大笑。

2. 家庭“战火”

◇精美词语

矛盾　鸿沟　代沟　桥梁　生气　赌气　发火　怄气
争吵　吵架　吵骂　骂人　打骂　数落　指责　责骂
沉默　沉着　默然　训斥　训诫　斥责　胡扯　打斗
可气　发气　可恨　可恼　恼火　误会　误解　作孽
亏心　争抢　唠叨　繁琐　琐屑　不屑　孤傲　理亏

◇常用成语

阴云密布　苦风愁雨　凄风惨雨　怒目相向　风云突起
意乱神迷　可怜巴巴　可怜兮兮　不相上下　各行其事
不理不睬　两眼上翘　满脸不悦　各执己见　各执一端
于心不安　满腹委屈　一肚苦水　色厉内荏　声色俱厉

◇绝妙句子

✽妈妈脸色苍白，气得哆嗦乱颤，又哭又喊；爸爸则怒目而视，紧紧地攥着拳头，不甘示弱。

✽平时不露声色的妈妈竟一反常态，把门一摔，气咻咻地道："走！上法院！"

✽我劝劝妈妈，妈妈直掉眼泪，赌气地转过身去；劝劝爸爸，爸爸则还闷头喝酒，气哼哼地不搭茬儿。

✽"不许看电视！回房背书去！"又传来妈妈的大声呼喝。妹妹委屈地关掉了电视，双眼红红的。

✽眼皮直打架，我只好爬上了床，满怀希冀地祈祷道："保佑我爸妈不要再吵架了！"迷迷糊糊地，在床上睡着了。

✽爸爸又抽烟了，弄得满屋乌烟瘴气。妈妈停下手中的活，一声不吭，一把就将烟夺了过去，阴沉地道："我让你还抽！"

◇华彩语段

✽妈妈正在气头上，我这下可遭殃了。洗起头发来简直要把我的头发扯掉似的。我不由得直叫唤："妈！你轻点行不行！""凶！你也对我凶！"妈妈忽然猛地拍了下我的屁股。气得我又顶了两句，妈妈火气更大，把毛巾往盆里一摔，"自己洗！"转身回房去了。我只得手忙脚乱，自己洗完了头。心里想："爸妈吵架，儿子遭殃！"叹了一口气，正待去拿吹风，只见妈妈已拿了吹风出来了，眼圈红红的，显然刚哭过。我心里一痛，叫道："妈妈，你们不要再吵架了，好不好？……"

写景篇

一、天文气象

1. 天　空

◇精美词语

碧空　凌空　天宇　天际　天幕　天边　青天　海天
高空　低空　上空　长空　太空　晴空　星空　夜空
天日　天涯　天色　天光　苍穹　湛蓝　瓦蓝　蔚蓝
蓝天　阴天　晴天　旱天　雨天　雪天　霜天　天河

◇常用成语

天空明朗　晴空万里　蓝天明净　天高云淡　秋高气爽
碧空如洗　碧天如水　蔚蓝天空　朗朗乾坤　寥廓江天
碧海苍天　晴空一碧　万里无云　夜空灰蓝　天昏地暗
碧空万里　苍穹茫茫　星空皎皎　辽阔长空　浩浩长空
天低云厚　江天一色　天空湛蓝　云空广漠　天色朦胧

◇绝妙句子

✽电闪着，雷打着，风卷着云，雨乘着风，整个天空呀，就像个唱戏的大舞台。

✽渐渐地，鱼肚白变成淡红色，好像人们喝一点酒，脸上呈现出红晕一样。

✽一块透明的蓝天，像一块丝手帕，蓝天上停留一丝细碎而洁白的云块，像是绣在纱巾上的云朵。

✽光线暗淡下去，好像谁不小心打翻了墨汁瓶，天幕上染了一层黑色。

✽夜空像一条无比宽大的毯子，满天的星星像是缀在这毯子上的颗颗晶莹而闪光的宝石。

◇华彩语段

✽天空一直晴朗。附近一带的山峦、房屋和园林，都浸没在无风的恬静和明朗的严寒中，浸沉在耀眼的光亮和淡蓝的阴影里，一切都那么雪白、坚硬和洁净。万里无云的淡蓝天空，穹顶似的笼罩着大地，成千成万闪烁的光点，发亮的晶体，在天空中飘舞嬉戏。

✽太阳已经落到地平线底下了，那一团团红晕已经褪为淡红。上面的天空已经从青苍色渐渐变成鸭蛋一般的湖绿色，并有一种幽静色的暮色暗暗向她四面围拢来。

✽天边的颜色是朦胧的，淡紫色的，整整一天都没有发生变化，而且四周都是一样的；没有一个地方暗沉沉，没有一个地方酝酿着雷雨，只是有的地方挂着浅蓝色的带子，这便是已在洒着又不易看出的细雨。

✽天上是皎洁无比的蔚蓝色，只有几片薄纱似的轻云，就如一个女郎，穿了件艳丽的蓝色夏衣，而颈间却围绕着一段很细很细的白纱巾，我没有见过这么美的天空！

✽东方曙光给天编织成一幅彩图：天空中间呈现青蓝色，两边淡蓝色，就像一块蓝宝石。东方是一道五颜六色的彩霞，像一道道金光闪闪的利箭射向天空。不久，蓝宝石旁的镶边比先前更多了更绚丽了，像一条条彩带把东方团团围住，那是太阳快要升起来了。

✽天，像琢磨得非常光滑的蓝宝石，又像织得很精致的蓝缎子。看上去，它好像离你很近，只要一举手就可以摸到一样。它又好像离你很远，怎么也不能接近。蓝莹莹的天空陪衬着雪白的云，煞是好看。

2. 日

◇精美词语

炎日　春日　夏日　秋日　日光　日出　日落　冬日
光柱　光芒　光影　和煦　明媚　艳丽　映照　照耀
朝阳　夕阳　残阳　艳阳　斜阳　烈日　旭日　红日

冉冉　曙光　晨辉　火球

◇常用成语

艳阳高照　烈日当头　赤日炎炎　骄阳似火　日高三尺
夕阳西下　阳光普照　盛夏赤日　霞光万道　金光万缕
旭日东升　喷薄而出　日上三竿　冉冉东升　一轮红日
光芒万道　如火如丹　璀璨耀眼

◇绝妙句子

✽太阳冉冉地升起，霞光在向四周辐射，在慢慢地扩大，它向天穹上展开，把整个天空映红了。

✽火球似的太阳高悬空中，炙烤大地，地上热浪腾腾，灼面而来。

✽夕阳像一个醉汉踉踉跄跄地跌到山那边去了，溅起一片片盛开的桔红的晚霞。

✽窗帘缝隙里透进一缕阳光，横照到床铺上，细细的尘埃在苍白的光柱里舞动。

✽拨开耀眼的云彩，太阳像火球一般出现了，把火一样的红光倾泻到树木上、平原上、海洋上和整个大地上。

✽就在这一瞬间，火红的太阳从距树梢一尺来宽的灰色云层中冉冉升起，呈半圆形，不到两分钟，便一下子跳

了出来，放射出夺目耀眼的光彩，犹如一根无形的线扯起的椭圆形红灯。

✽太阳更低了，血一般地红；水上一条耀人眼睛的广阔的光波，从海洋的边际直伸到小船边沿。

✽太阳刚刚从东山露出脸，射出道道的强烈金光，像是在大声地欢笑，藐视那层淡雾的不堪一击。

✽太阳落山了，它那分外红的强光从树梢头喷射出来，将白云染成血色，将青山染成血色。

✽太阳慢慢地透过云霞，露出了早已涨得通红的脸庞，像一个害羞的小姑娘张望着大地。

✽天空被夕阳染成了血红色，桃红色的云彩倒映在流水上，整个江面成了紫色，天边仿佛燃起大火。

◇华彩语段

✽太阳出来了。原先，太阳是深红色，没有光亮，后来慢慢升高了。这时，太阳火红火红的，放射出万道光芒。阳光穿过树丛，透过晨雾，密密斜斜地洒满了大地。朵朵白云，被阳光染红了。天边像挂着一幅巨磊的五彩缤纷的油画。

✽正午的太阳像一个火球，从高空直射下来，晒得地面发烫。早晨，树叶还挺神气地舒展着，现在枯萎卷起来了。小鸡也躲到墙角下张着嘴，展开翅膀歇凉。平常凶猛的狗，现在也不神气了，舌头伸出来，大口大口地喘着粗气。这样的天气，少说也有四十度。

✽一轮红日，从白雪皑皑的群山背后冉冉升起。灿烂的光辉带着一股温暖的气流，冲进了偏僻的山村。先是铺满积雪的窖顶上反射出耀眼的光芒，随后，墙壁上清晰地映出了挂着一排粗大凌锥的屋檐的轮廓，渐渐整个墙壁连半个院子也洒上了金黄色的朝晖。

✽举目遥望，凝神注视，在东方天际的红光下边，隐隐出现了一条闪动微亮的水平线，像是在风中飘动的彩带。一轮旭日像从那天水相接的交边处跳出来似的。突然，鲜红的旭日露出了一角，远远望去，好像是蔚蓝的海水摇摇晃晃地承托着它。它跳起来，用力，再跳起来！一团火球猛地跃出海面，射出万丈光芒！

✽于是缓缓地，穿破了光亮的云彩，火光浴满树木、平原、海洋、全地平线，那巨大的火球出现了。

✽西方的天空，这时也发红了，太阳在西面的山边徘徊，东边的天空还是那么蓝，云还是那么洁白。又过了一会儿，太阳已经落下半边，还剩半个头在外面，西方的天空也渐渐地暗了。周围的云一棱一棱，发红，发金，发黑。云彩仿佛披上了画家精心调配的三色彩衣，多么美丽！渐渐地，天色一点一点地暗下去，眼前的景物开始模糊，太阳全部落下去了，只有一点一点金红色的云在西方，最后，一丝亮光也没了。

3. 月

◇精美词语

秋月　满月　冷月　弦月　月牙　月影　月色　月夜
月亮　明月　新月　皓月　圆月　残月　钩月　弧月
月光　月晕　玉盘　银盘

◇常用成语

月笼轻纱　月落乌啼　满月生辉　淡月孤星　冷月凄风
月牙初升　月升树端　一弯新月　一轮明月　月光皎洁
月明星稀　月光似火　月色迷人　月光朦胧　月光柔和
月出东山　月出东墙　月出海上　月上柳梢　玉兔东升
月色迷离　月明如昼　月光溶溶　月影婆娑　月挂中天

◇绝妙句子

✽细得像秤钩似的月牙，在云层里缓缓移动，偶尔从云隙投下几缕银白的光亮，在水面上跳动了一下，又消失了。

✽月亮从东方的天边悄悄地露出笑脸，她像一个文静的姑娘，把柔和、皎洁的银光洒向人间。

✽圆圆的月亮，像个玉盘，镶在满天星斗之间，显得格外皎洁。

✽蓝幽幽的水里，月亮笑弯了腰，眨着诡谲的眼睛。

✽朦胧的月色投下神秘的影子，在水面上撒开浮动不定的光，好像无数的银鱼儿在那里跳动。

✽月亮在空中已经走完了它的旅程，正要向海波隐没……，在那慢慢发白的天空的苍穹里，群星消失了。

✽太阳早已西下，月亮像个文静的少女亭亭玉立在前面的天上。

◇华彩语段

✽青黑色的天空的月亮，大如金盘，光华灿烂，像娃娃的脸，稚色十足，那轻柔的金环伴着缕缕云柳轻轻缭绕。月亮越升越高，已经爬上了大楼顶。它俯视大地，把光辉挥洒。我眯起双眼，确确实实看到了月亮中模模糊糊的景物。是树？是山？是云雾？是风沙？是我的身影？真是想什么就像什么。忽然飘来了朵朵淡云轻轻地遮住了月亮，只看见在云层中穿行闪光。它挤啊，使劲想钻出来。一阵凉风吹散了云雾，月亮重新露出了她秀丽的脸蛋，像小姑娘披在额上的乌发，向人们露出了笑靥。我觉得那穿于云层的月亮似乎更蓬勃而又富有诗意。

✽月牙儿，像把梳子挂在半空。人们都说月亮是位最善良，最好伤心和最易受感动的姑娘。谁有什么不幸和哀愁，她总是怜悯地注视着你，有时还会流下泪来！想必她是不忍心去看那不幸的人们吧？所以才掩住半个脸，但她那朦胧的淡光，还是同情地从窗棂间射进来。黑暗的屋

子，也变得灰白起来。

✽月亮在山后悄悄地露出了头，像负着重托似的，正在努力向上。最后，终于跳出了群山，升上了天空。月光如流水，静静地洒在地上，整个山村像笼罩着一层薄薄的银纱。

✽一会儿，只见月亮不是圆的了，好像被什么咬去了一块似的。慢慢的，月亮成了小船，接着像镰刀，像眉毛，像弯弯的细钩。天色越来越暗，一会儿，细钩也不见了，整个月亮被吞没了，只留下个红铜色的圆影子，像一面锣。

✽柔和似絮，轻匀如绢的浮云，簇拥着盈盈皓月从海面冉冉上升，清辉把周围映成一轮彩色的光晕，由深而浅，若有还无。不像晚霞那么浓艳，因而更显得素雅；没有夕照那么灿烂，只给你一点淡淡的喜悦，和一点淡淡的哀愁。

✽月光把半边天都照亮了，只有在远际的天空中才看得见一两颗星星，闪着淡淡的光，正慢慢隐去。奔腾了一天的小河平息了，静静地流着。一轮圆月倒映在水面上，晚风一吹，波光粼粼。啊！河上亮了，整个宽阔的河面就像一面明镜，像一条缀满宝石的长绸带。地上亮了，一眼望去白茫茫的一片，真好像是盖了一层霜。

4. 星

◇精美词语

疏星 星球 星河 星斗 星光 星辰 星空 星夜
星星 繁星 群星 寒星 晚星 彗星 孤星 晨星

◇常用成语

金星闪耀 星移斗转 星稀月明 残星几点 疏星淡月
星光迷茫 寒星孤月 月出星隐 星辰冷落 星如荧火
星星点点 满天星斗 星罗棋布 群星灿烂 星光闪闪
日星隐耀 万点繁星 星空万里 众星捧月 七星高照
五星聚会 北斗高悬 星空深邃 流星赶月

◇绝妙句子

✽天上的星星又睁开快活的眼睛，密密麻麻如地上的灯火一样。

✽在晴朗的夜晚，小星星眨着顽皮的眼睛出现了，天空中只有几丝云在慢慢移动，它就像丝带一样把小星星遮得时隐时现，看上去好像在和人捉迷藏呢。

✽满天空镶上了小星斗。它们尽着自己的力量，把点点滴滴的光芒交织在一块了；不像阳光那么刺眼，也不像月光那么清澈，却是明亮的。

✽黛色的夜幕上，出现了颗颗星斗忽明忽暗，像一颗颗宝石，像一粒粒珍珠。

◇华彩语段

✽我走上前，透过天文望远镜，看到了浩瀚苍茫的太空，双鱼星座上几颗美丽的星星闪烁着耀眼的亮光。它的附近，有一颗更明亮的星星，这就是著名的、每隔七十六年回到太阳身边一次的哈雷彗星，它呈浅蓝色，直径约两公分，中间是亮晶晶的，彗头清晰可见。一丝漂亮的彗尾随在它身后，银白晶亮，接触处显出许多细小的光束。尾末，一片蔚蓝色，慢慢成了乳白色，更显得它遥远、宁静、飘逸。

✽明亮的星光，掺上了露水，变得湿湿润润、柔柔和和，随后轻轻地挂在树梢上，搭在房檐上，铺在街道上，薄薄的一层。接触到这种光辉的一切都变得那么雅致，那么幽静，那么安详……

✽当这一切红光都消失了的时候，那突然显得高而远了的天空，则呈现出一片肃穆的神色。最早出现的启明星，在这深蓝色的天幕上闪烁起来了。它是那么大，那么亮，整个广漠的天幕上只有它在那里放射着令人注目的光辉，活像一盏悬挂在高空的明灯。

✽湛蓝的夜空中镶满了一颗颗钻石一般闪闪发亮的星星，他们就像一个个顽皮的孩子眨着闪闪发亮的眼睛，用好奇的目光瞅着大地，那闪闪发亮的眼睛真惹人喜爱。

✽星星一动不动地镶在夜空里，那么悠远、那么洁净，就像藏在神秘世界里的一个个美丽的希望，有一颗流星在夜空里划出银亮的线条，就像在探寻着世界里最美好的未来。

✽这是多么奇怪的夜晚！星星比任何时候要多，又大、又亮，红的，绿的，黄的，橙的，白的，就像一枚枚亮晶晶的彩色的铜灯，嵌在一个硕大无比的黑黝黝的圆球内部。它们既不眨眼，也不闪烁，是恬静的，安详的，活像宇宙的一只只明亮的眼睛。

✽天上的流星，很疏远地一个个高悬着。它们散围在温媚的圆月旁边，光线更显得柔弱。清朗的高空，如扯着片浅蓝色的布幔。飘带似的一缕缕云丝，斜盖住天河。

5．霞

◇精美词语

朝霞　晚霞　红霞　彩霞　云霞　锦霞　落霞　丹霞
霞光　霞影　霞帔

◇常用成语

晚霞绯红　晚霞如血　晚霞瑰丽　丹霞似锦　云霞飘浮
霞光万道　彩霞满天　彩霞缤纷　晚霞如火　朝霞灿烂
霞光耀日　朱霞烂漫

◇绝妙句子

✽不多时，那多彩的晚霞，也在归林的鸟雀声中收起了余辉。

✽我看着看着，眼前模糊了，当我再次仰望天空时，只见天边“尘土飞扬”，无数匹被晚霞染红了的烈马向前飞奔，随着云朵的移动，仿佛还听到了它们奔驰的声音。

✽金色的霞光，犹如一只神奇的巨手，徐徐拉开了柔软的雾帷，整个大地豁然开朗了。

✽多彩的晚霞在奇妙地变幻着，颜色越变越深，最后变成浓墨画似的几笔，更显得神奇妩媚。

✽夕阳西下，晚霞映红了半边天，又反射到江中，江水霎时变成了红色！真像一朵朵红莲绽开在江中，美丽极了！

◇华彩语段

✽沙河边上的天色傍近黄昏，灰黑的云突然遁去，西天边烧起一片彩霞，鱼白色的，淡青色的，桔红色的，紫色的，一层一层重叠着，环结着。其中有一条像是银色的带子，在缤纷的彩云里显出耀眼的光辉。几只飞鸟翱翔在彩霞前面，得意地鸣叫。

✽万缕霞光像金色的凤凰展开五彩的羽翼，载着由和谐悦耳的歌声、笑声、水声、书声组成的山村交响曲在清新、温馨的晨风中腾飞。

✻大面积的、扇形的云霞，从堆积的白棉花球，变成了金色的菠萝了。然后出现了一抹玫瑰红，，一抹暗紫，像是远方的花圃，雷青色，灰黑色，褐色和淡黄色，时隐时现，掺和在一起。整个的天空和海洋也随着这云霞的色彩而渐渐暗下来，陡地一亮，落日终于从云霞的怀抱里落到海上，好像吐出了一个大鸭蛋黄，由橙黄、橙红变得鲜红，由大圆变成扁圆，最后被汹涌的海潮吞没了。

✻天边已露出了鱼肚白。渐渐地颜色越来越浓了。由桔黄色变成淡红色，又由淡红色变成粉红色，一会儿红彤彤，一会儿金灿灿，还有半紫半黄的颜色，还有些说也说不出，见也没见过的色彩，真是五彩缤纷。朝霞的形态也变化无穷，有的像一只展翅欲飞的雄鹰；有的像一条鲜艳的红领巾在飘扬，可一会儿红领巾不见了，却来了一匹奔腾不息的骏马……真是千姿百态，变化万千。

✻天是一片青色，几片桔红色的朝霞稀稀疏疏地分布在天空中。慢慢地朝霞的范围扩大了，颜色由桔红变成鲜红。多么瑰丽的景象！突然，天空中闪出了一个亮点，原来是朝霞在孕育太阳，周围的朝霞，颜色瞬息万变，朱红、枯黄、浓紫……

6. 云

◇精美词语

阴云　乱云　残云　淡云　彤云　游云　卷云　薄云
云层　云天　云丝　云端　云彩　云海　云纱　云雾
白云　乌云　彩云　黑云　浓云　密云　烟云　浮云
云片　云块　云霓　云霞

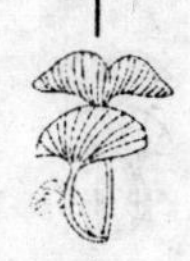

◇常用成语

彩云绚丽　白云如山　云空广漠　阴云密布　阴云遮天
乌云翻滚　黑云压城　重云如盖　浓云蔽日　满天阴云
乱云纷飞　彤云密布　云散天开　浮云游荡　天光云影
云开雾散　彩云满天　拨云见日

◇绝妙句子

✻东边的天空慢慢地堆上了蘑菇似的乌云，不多一会儿，乌云像大锅盖似的重重地压在屋顶上。

✻天快亮了，低低的天幕，压着一重重恐怖的黑云，它的来势凶猛，像是一群黑色的疯狂的巨龙，要把大地吞噬。

✻忽然，只见天空一股急速翻腾的云浪，像一条黑色的巨蟒，从东南方滚滚而来。

✽春天的白云也多姿多彩，像奔腾的小马，像翻滚的浪花，又像那春姑娘白净的脸。

✽一块块云彩在东方慢悠悠地飘浮着，衬托着那火红的太阳，就像孩子随意涂抹的画面，美丽极了，有一种说不出的诱惑力。

✽黑云堆成了一整片，像一块厚铁，渐渐地往地面上沉：似乎已经盖到了屋脊上，再过一会就得把屋子压扁。

✽东方有点亮了，出现了一片彩色的云海，就像一幅巨大的油画挂在天空。

✽有时它们弥漫一片，使整个山区形成茫茫的海面，只留最高的峰尖，像大海中的点点岛屿，这就是黄山著名的云海奇景。

◇华彩语段

✽清晨，太阳升起来了，但乌云像一床厚被似的遮住了它，太阳只好给乌云镶上了一条闪亮的金边，好像在告诉我们它在哪儿似的；有时，云层不厚，阳光透过云层的缝隙直射下来，像千万把闪着金光的长剑，云也因为借了太阳的光变成玫瑰色，艳丽极了。

✽在我眼前又呈现一幅有趣的画面：一只活泼可爱的小兔，正无忧无虑地吃草。忽然，在他身后屹立起一位高大的猎人。瞧！他手里还拿着猎枪呢！小兔竖起灵敏的长耳朵，迅速向前跑去，猎人在后面紧追不舍，一眨眼，小

兔钻进了浓密的云层不见了，猎人也不知哪里去了。

✽它们时而散得很开，被风一吹，立即毫无规律地舞动着，盘旋着；时而又抱得很紧牢牢地簇拥在一起，任凭风怎样吹也吹不开。一瞬之间竟有不知多少变化，这千姿百态的云在我的头上组成了各样图案，人人百看不厌。我又转过头，遥望另一种云：它们是那样宁静，自山谷袅袅腾起，又缓缓升起，始终是淡如烟，薄如纸，却会时而让风吹散。

✽天空出现了一个小天使。红红的脸，金黄的卷发披在腰间，头发上面还戴着几朵蓝色的小花。她穿着一条淡黄色的连衣裙，上面还有一个大蝴蝶结呢！她翘着一双白嫩嫩的小脚，还长着一对翅膀，她那洁白的翅膀比无瑕的白玉石还要美几分呢！渐渐地小天使不知飞到哪里去了。

✽一天傍晚，我出外散步，忽然觉得被笼罩在一种奇丽的景色之中。举目远望西边的天际，我发现那玫瑰色的云块在天空徐徐变幻形状——时而像巨人，时而像雄狮，时而像染了多种色彩的山峦。那多彩的舞剧即将开始。我被这迷人的景象陶醉了。

✽在蓝宝石一样的天空中，飘浮着雪一样的云，它们在天空中无忧无虑地飘动，或浓或淡，还不时地变换形态，好像在向你显示它的一切。白云像一只小白兔，在向前奔跑，像是有人在追它，不一会儿，便融入云群中了；有时，像从远处翩翩飞来一只白蝴蝶，它一点一点地扩大、模糊了，变成一片大云朵。

✽朵朵浮云，越飘越慢，淡淡的云影，逐渐透明。云影轻轻拂过街道，掠过屋顶，遮住人们，仿佛要拭掉墙壁和屋顶上面的污泥尘土，抹掉人们脸上的愁容。

✽翻腾的乌云，像千百匹脱缰的烈马，在天池中奔驰，跳跃；有的俯首猛冲；有的昂首嘶叫，有的怒目圆睁，扬起了前蹄，有的扬起毛，甩起了马尾，蹄一动，踢起了万朵银花，尾一扫，扬起了弥天大雪。

✽深蓝的天空飞浮着乳白色的云团，在地面上投下了一块一块的云影；一条玉带般的云雾横缠着逶迤的群山，使那些露出头来的青山秀峰像围上白纱的村姑一般妩媚动人……

✽滚滚的云流翻山而过，直泻深谷，似流水瀑布，气势磅礴，宏伟壮观。这就是庐山有名的瀑布云。有时，它涓涓细流，翻过小天池山，形成一条线，进入幽谷。有时它银丝缕缕，经过小天池山的每个山口，形若玉帘抖落而下。有时，它又似奔腾的江河，翻过天目山顶，汹涌澎湃，飞流直下，一泻千尺。

7. 雾

◇精美词语

薄雾　重雾　密雾　迷雾　烟雾　云雾　雾气　雾天

朝雾　晨雾　夜雾　轻雾　浓雾　淡雾　大雾　小雾

◇常用成语

云雾变幻　大雾迷途　大雾满天　大雾蒙蒙　雾气朦胧
雾似轻烟　雾似轻纱　雾色灰白　雾帐扯挂　雾锁云笼
浓雾迷漫　烟雾缭绕　云雾交织　薄雾轻笼　云雾茫茫
雾气笼罩　雾密云浓　风吹雾散　云消雾散

◇绝妙句子

✻那灰蒙蒙的大雾，像一个巨大的纱罩，把大地上的一切都遮住了。

✻到处变得迷蒙蒙一片，整个庐山好像披了一层薄薄的白纱，真给人一种“不识庐山真面目”的神秘感。

✻浓雾像个淘气的小娃娃，偷偷地把太阳利剑似的光芒藏起来。

✻雾在微风的吹动下滚来滚去，像冰山雪峰，似蓬莱仙境，如海市蜃楼，使人觉得飘然欲仙。

✻起雾了，先是一缕一缕地流过来，后来变成了一团团的，越来越浓，封锁了河面，两岸的景物模糊起来。

✻雾是一位高明的魔术师，它把绿洲变成无边的海洋。

✽黄昏的雾气，在枯落的白杨中间浮过，仿佛细沙挂在树枝，却比细沙还要发白，还要透明。

✽眼前的一切都笼罩在一层缥缈的轻纱里，连初升的太阳也隐去了它鲜艳明朗的脸，只剩下一圈红晕，迷茫中透出些红光来。

◇华彩语段

✽漫天的浓雾，使大地变得模模糊糊，一片昏暗。东方的太阳已经升起，但只能看到一点桔黄色的圆光。远处，大学山上的一中校园隐隐约约只剩下一团灰影。

✽山河景色在雾的装点下，变得更加美丽。远处的小米山、京碳砚山巍峨挺拔，它们仿佛成了神仙住的宝山，令人神往。近处池塘边时时飘来雾气，在初升阳光的照耀下，呈现赤、橙、黄、绿、青、蓝、紫七种色彩。

✽起雾了！大街上浓雾迷漫，到处是雾的海洋，来到街上，我仔细地观赏这少见的大雾。现在，天和地好像被一个巨大的雾帐笼罩着，到处都湿漉漉的，大街上不时有人匆忙地来往，起初只能听见脚步声，而后约在十几米外出现了模糊的人影，渐渐地走近才能看清形象，当人们从我面前走过去的时候，只见他们的背影逐渐消失，晨雾把他们逐渐藏起来，我站在路旁欣赏这独特的景色，仿佛觉得有一只无形的潮湿的大手抚摸着我，脸上，头上湿漉漉的，鼻子有点透不过气，使人感到郁闷。

✽雾虽然没有大雪壮观，没有小雨缠绵，但它十分温

柔。它像一位慈祥的妈妈爱抚自己的儿女一样，抚摸着你的面颊，使你有一种温柔、湿润之感。雾不但温柔，还很朴素。无论粗心看，还是细心看，都是像一道白色的幕布，披在山川、河流、树木、房屋上。幕布上没有一道花纹，给人一种朴实无华的感觉。如果说大自然是诗画的源泉，那么晨雾就是大自然的一幅佳作。

✽大概是太阳觉得有点儿冷吧，扯过一条乳白条的纱巾绕在身上。不料这纱巾太长太长，把大地给盖住了。啊，好白的纱巾呀，看不见太阳圆圆的、红红的脸蛋儿，远处的房子、树木，也只出现淡淡的、静静的影子，就像画家用笔轻轻勾勒出的轮廓线一样。一切都笼罩在白纱之间。

✽雾气给过路的行人来了一个巧妙的化妆，把他们额前的绺绺黑发染成了一缕缕银丝，上下的睫毛都挂满了小小的水晶花。你把眼稍闭一会儿再睁开，只觉得眼睛湿润润的一丝凉意，非常舒服。多迷人的雾啊，我想伸手去摸，你却调皮地飞了，飞了，飞到了我的脸上，沾到了我的头发上，飘到了我的身上，我感受到了你，你浸入了我的心房。

✽乳白色的雾，从山谷中一团一团地溢出，缓缓地漫上山坡，散成一片轻柔的薄纱，飘飘忽忽地笼罩着整个山村，那五彩的坡，乌蓝的路，错落有致的近峦，清丽淡雅的远山，全都遮隐在迷雾之中，什么都看不清了，天地间只有白茫茫的雾，湿漉漉的雾，凉丝丝的雾。

✲我环顾四周，四周是浩瀚无垠的雾海，远处连绵的山岭，山下的大树和楼房，似乎都沉到海底了，只有那高耸的山峰，好像雾海中的一个个岛屿，矗立在茫茫的“海”面上。

✲有一回从滑雪会走回松雪楼，忽然察觉路上有一层雾，一下子笼了过来，一下子又散了开去，那真是一种奇妙的体验，仿佛走进一个雾帐，雾自发际流过，自耳际流过，自指间流过，都感觉得到；又仿佛行舟在一条雾河，两旁的松涛声呼呜不住，轻舟一转，已过了万重山，回首再望，已看不见有雾来过，看不见雾曾在此驻留了。

8. 雨

◇精美词语

阵雨　骤雨　雨帘　冷雨　细雨　冻雨　梅雨　雨帘

雨蒙蒙　雨纷纷　雨飘飘　雨霏霏　雨淋淋

◇常用成语

雨声沙沙　细雨如丝　雨声淅沥　雨过天晴　淫雨霏霏
斜风细雨　雨似急箭　雨过天晴　春雨潇潇　茫茫烟雨
春雨阵阵　秋雨连绵　暴雨如注　细雨飘洒　细雨如烟
大雨淋漓　滂沱大雨　倾盆大雨　阴雨绵绵　淅淅沥沥
牛毛细雨　雷雨交加　山雨欲来　暴风骤雨　倾盆大雨
铺天盖地　劈头盖脸

◇绝妙句子

✽天地间好像挂上了一条水帘，白花花的，一切变得迷迷蒙蒙，远处的景物全看不见了。

✽雨水顺着房檐流下来，开始像断了线的珠子，渐渐地连成了一条线。

✽风追赶着雨，雨追赶着风，风和雨又联合起来追赶着天上的乌云，整个天地都处在雨水之中。

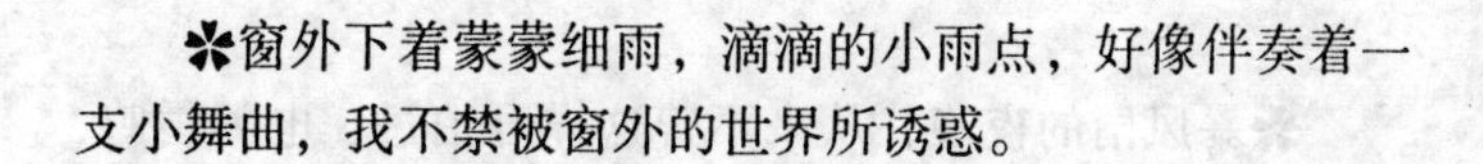

✽窗外下着蒙蒙细雨，滴滴的小雨点，好像伴奏着一支小舞曲，我不禁被窗外的世界所诱惑。

✽早上下过一阵小雨，现在虽放了晴，路上还是滑得很，两边地里的庄稼，却给雨水冲刷得青翠水绿、珠烁晶莹，空气里也带有一股清新湿润的香味。

✽春雨，绵绵地下着，杨柳青了，草地绿了，映山红也孕育着粉红色的花蕾。

◇华彩语段

✽雨不停地下，石级小路，被雨水浇得分外明净。路两边新拔节的翠竹，被碎雨罩着，绿蒙蒙的，望不到边际，路下的山村里，一片桃林，初开的桃花，笼在这四月的烟雨里，漂出一层水润润的红雾，这蒙蒙的绿意，这团团的红雾，真像刚滴到纸上的水彩一样，慢慢地浸润开

来，呵，这奇妙的春雨，它正给未来孕育着怎样的景象啊！

✽泥泞的土路上，像抹了油一样滑，真是风仗雨势，雨借风威，吹打得站立不稳脚，稠密的雨柱，顺着风斜劈下来，像一支支利箭射得我睁不开眼，喘不过气。

✽一阵狂风过后，暴雨来临了，很大的雨点，落在地上发出啪啪的响声，雨点越下越密，越下越急，从窗口向外望去，只见那雨点像串串的珠帘一样，迅速地从空中急落下来。

✽暴风雨的夜晚，从来不曾这样可怕过，电闪雷鸣，暴雨哗哗，像天上的河决了口子，凶猛地往下浇，我真的担心屋顶要被砸漏了，狂风卷着雨丝像无数条鞭子，狠命地往玻璃窗上抽，窗缝里真的钻进雨水了，顺着窗台往下流，闪电一亮一亮的，像巨蟒在云层上飞跃，一个暴雷猛地在窗外炸开，险些把我轰懵了。

✽突然风雨大作，雷声隆隆，风声、雨声、涛声交织成一片，我伫立在门旁，只见北海怒涛翻滚，咆哮奔腾，骤雨打着地面，沙飞水溅，迷蒙一片；那萧索的荒草仿佛化成了一把把锋利的钢刀，在暴风雨中拼命地摇撼着，呼叫着……天地间好像有千军万马在奔腾，在前进。只有那绿水角的灯塔，顶风沐雨地挺立着，毫不动摇。

✽突然一阵北风吹来，一片乌云从北部天边急涌而来。还伴随着一道道闪电，一阵阵雷声。刹那间，狂风大

作，乌云布满了天空，紧接着豆大的雨点从天空中打落下来，打得窗户“叭叭”直响。又是一个霹雳，震耳欲聋。一霎时雨点连成了线，“哗”的一声，大雨就像塌了天似的铺天盖地从天空中倾泻下来。

✽风夹着雨星，像在地上寻找什么似的，东一头，西一头地乱撞着。路上行人刚找到一个避雨之处，雨就“噼噼啪啪”地下了起来。雨越下越大，很快就像瓢泼的一样，看那空中的雨真像一面大瀑布！一阵风吹来，这密如瀑布的雨就给风吹得如烟、如雾、如尘。

✽乌云一层盖一层地遮蔽了整个天空，轻轻地一阵凉风吹过，雨就下起来了。雨下得不大，可是很细，很密，扑到人的脸上好像扑粉似的。整个空阔无人的山峡里，都是这种轻飘的，流动的，潮湿的烟雾。

9. 雪

◇精美词语

雪景　残雪　雪粒　雪团　雪花　雪片　雪浪　雪山
雪野　雪被　雪堆　冰雪　雪粉　雪撬　雪沫　雪雾
瑞雪　冬雪　春雪　风雪　飞雪　积雪　飘雪　雨雪

◇常用成语

大雪飘飘　雪花如席　雪花飘飘　雪花飞舞　漫天飞雪
瑞雪纷飞　风雪之夜　白雪皑皑　雪雾迷漫　白雪晶莹

林海雪原 冰雪消融 茸茸雪片 风雪交加 弥天大雪
雪花飞扬 大雪纷飞 大雪纷扬 大雪封山 鹅毛大雪
冰封雪飘 雪中送炭 雪花飘洒 冰雪封路

◇绝妙句子

✽大片大片的雪花从银灰色的天空悠悠地飘下，像满天白色的蝴蝶在迎风起舞。

✽雪花密密地飘着，像织成一面白网，丈把远处就什么也看不见，只有灰色的底子上飞着成千累万的白点。

✽冬天，风雪肆虐，鹅毛一样的大雪，落在山上，落进谷里，落在松树枝丫上，好像托着片片白云。

✽停雪后的晚上，房屋披上洁白素装，柳树变成臃肿银条，城墙像白脊背的巨蛇，伸向远远的灰蒙蒙的暮色烟霭里。

✽房屋，树枝，马路都披上了厚厚的银白的冬装，四周的一切都成了粉妆玉砌的世界。

✽我看那雪花，玲珑剔透，洁白如玉，它是天公派出的小天将，还是天宫桂树上落下的玉叶？

✽我透过玻璃窗向外望去，天地间像挂着一床白色的大幔帐，白茫茫的一片。

✽像柳絮一般的雪，像芦花一般的雪，像蒲公英的带

绒毛的种子一般的雪，在风中飞舞。

✽昨天傍晚，大雪纷纷扬扬地下起来了。开始，风刮得刺骨，雪花打在脸上冷冰冰的。后来，雪花就像多年重逢的老朋友，跟你贴脸、握手，你想躲也躲不开。

✽在路灯的光照里，雪花犹如吐絮的棉朵，千朵，万朵，纯白，晶亮，闪光……

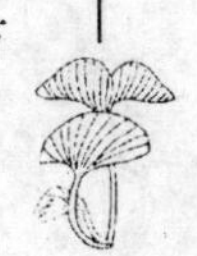

✽雪下了一夜，又下了一个早晨，直到这会儿还是如同撕棉扯絮一般，飘飘扬扬，下个不停。

◇华彩语段

✽白雪像小银珠，像小雨点，像杨柳花，纷纷扬扬为我们挂起白茫茫的天幕雪帘，抬头透过稀疏的雪帘望去，那远处的高楼大厦，隐隐约约，好像在雾中，宛如在云里，显得特别好看！

✽这时，漫天雪花，仍旧像春天的柳絮一般不停地飘舞着，除了卷着浪花的海水以外，整个的山岗、松林，已经成了无限幽静芳美的银白世界，高高低低的松枝上，都托着大大的雪团，经海风一吹，又静静地落到地上和别的枝丫上。

✽傍晚时分，雪花开始稠密起来，雪花也似乎大了起来，仿佛梨花瓣儿一片跟着一片，不紧不慢，下得稳稳的；百片，千片，漫天飞舞，不一会儿，高楼戴起白帽儿，大树穿起白袍子，马路上铺起一层薄霜。

✲下雪了，纷纷扬扬的雪花，漫天飞舞，不一会儿整个校园就变成了银色的世界，地面成了“雪毯”，房上铺满了棉絮，那桐枝上开满了“梨花”，柏树上、竹枝上挂满了“雪球”和“银条”，远远望去，玉树玉枝，粉妆玉砌，充满了诗情画意。

✲雪住了，太阳出来了。阳光照在雪地上，映出一道道七彩的光。而树上挂满了冰的“银条儿”，这就是树挂，那奇丽的形状令人赞叹，银条儿上还结着雪球儿，若是有人晃动树枝，银条和雪球儿就“簌簌”地落下来。雪球摔碎了，玉屑似的雪沫儿随风飘散，美不胜收。

✲冬银装素裹地来了，家乡特有的美景淋漓尽致，松树上，蓬蓬松松的雪像小松鼠的大尾巴，又像盛开的雪莲，雪花，像柳絮一样，飘飘悠悠洒落下来，举目远眺，朦朦却不苍茫，万物都用乳白的线条勾勒出来。

✲多美的小雪花啊！开始零零落落，又小，又厚，又柔，又轻，就像那高贵的白天鹅轻轻抖动翅膀，一片片小小的羽毛，飘飘悠悠落下来，接着小雪花变大了，变厚了，变得密密麻麻，就像谁用力摇动天上的玉树琼花，那洁白无瑕的花瓣纷纷飞下来，后来，雪越下越大，小雪花们在半空中你拉我扯，你抱住我，我拥紧你，一团团，一簇簇，仿佛无数扯碎了的棉花球从天空翻滚而下，这时，整个世界都变得迷迷茫茫的，美不胜收。

二、季节时辰

1. 春

◇精美词语

春意　春蚕　春色　春装　新春　春光　春雨　春潮
春天　明春　初春　阳春　春节　春联　春雷　春季
春游　春耕　春播　春笋　春花　春树　暮春　春景

◇常用成语

春暖花开　春意盎然　含苞欲放　春风拂面　桃红柳绿
莺歌燕舞　鸟语花香　河水解冻　春意正浓　烟花三月
阳春三月　春光明媚　春回大地　万象更新　春光融融
四季如春　满园春色　万木竞秀　春雨如油　春江水暖
风和日丽　枝繁叶茂　争妍斗艳　春风习习　春雨绵绵

◇绝妙句子

✽山上这儿一片红，那儿一片白，远看就像在绿色的山上镶了一颗颗红宝石，飘着一朵朵白云，多像一幅无边无际的水彩画呀。

✽天山也不是翠绿一片，而是恍然可看到晶莹的白雪和绿树搭配得那样和谐，那样妙不可言。

✽河对面，一片绿油油的麦苗迎着春风摆动，和垂柳互相问好。

✽春雨来时，我信步走上了小路，呼吸新鲜的空气，接触春的气息，心情格外舒畅。

✽“咩——咩!”我的小绵羊也叫起来，一定是挂满雨珠的小草更嫩了。

◇华彩语段

✽太阳东升，一抹红霞，学校的花园里，花儿盛开，碧绿的叶子上滚动着晶莹的露珠。春风频吹，露珠滚动，花儿点头，好似一幅美丽的水彩画。同学们从四面八方健步来到学校，新的一天开始了。

✽春天，大地从冬寒里复活过来，被人们砍割过陈旧了的草木，又茁壮地抽出了嫩芽。不用人工修培，它们就在风吹雨浇和阳光的抚照下，生长起来。这时，遍野是望不到边的绿海，衬托着红的，白的，黄的，紫的……种种野花卉，一阵潮润的微风吹来那浓郁的花粉青草的气息，直向人心里钻。无论谁，都会把嘴张大，深深地呼吸，像痛饮甘露似的感到陶醉，清爽。

✽高耸的木棉树，正像万绿丛中一点红，开出了璀璨的朱砂一般的大红花。肥胖的斑鸠在高高的树丫上鸣叫，

小巧的青丝雀在花间戏舞和歌唱。春水回环，春气弥漫，春树萌芽，春花怒放，鸟儿们都像很轻快地赞颂着迷人的春景。……木棉花是温暖的象征，春天的象征，开得早，暖得早，春也来得早。

✽绵绵的春雨洒下来，树绿了，山也绿了。森林里，撑起了一朵朵的小伞——蘑菇。那“小伞”肥得快要流出了油。继而木耳、蕨菜，猴头也都从各处钻了出来，像小娃娃一样……

2. 夏

◇精美词语

立夏　入夏　夏至　仲夏　盛夏　夏日　夏天　初夏
夏季　夏装　夏夜　酷热　炎热　火辣　灼热　闷热

◇常用成语

树木葱茏　挥汗如雨　大汗淋漓　暑气蒸腾　热不可耐
三伏天气　赤日炎炎　烈日当头　汗流浃背　骄阳似火
夏树苍翠　冰雹骤降　荷花映日

◇绝妙句子

✽七月，透蓝的天空，悬着火球般的太阳，云彩好似被太阳烧化了，也躲得无影无踪。

✽春天随着落花走了，夏天披着一身的绿叶儿在暖风里跳动着走来了。

✽夏天，是热魔王最猖狂的时刻，他毫无顾忌地把魔爪伸向人间。

◇华彩语段

✽初夏，北方乡村的原野是活跃而美丽的。天上白云缓缓地飘着，广阔的大地上三三两两的农民辛勤劳动着。柔嫩的柳丝低垂在静谧的小河边上。河边的顽童，破坏了小河的安静："看呀！看呀！""泥鳅，这个小蛤蟆"！叫声，笑声飘散在鲜花盛开的早晨，使人们不禁深深感到了夏天的欢乐。

✽柳叶打着卷儿，小花低着头，湖水冒着热气，小鱼该不会被煮熟吧？啊，别急别急，蜻蜓飞来了，飞得很低很低，在湖面转圈，这是它在报告：好消息——就要下雨，就要下雨。

✽晴空万里，天上没有一丝云彩，太阳把地面烤得滚烫滚烫；一阵南风刮来，从地上卷起一股热浪，火烧火燎地使人感到窒息。杂草抵不住太阳的曝晒，叶子都卷成细条了。

3．秋

◇精美词语

秋风　秋凉　秋菊　深秋　晚秋　金秋　秋日　秋霜
秋天　秋分　秋季　中秋　秋色　秋收　秋雨　秋果
秋粮　寒秋　秋野　暮秋　初秋

◇常用成语

秋色宜人　秋菊怒放　秋草枯黄　中秋赏月　万花凋谢
层林尽染　枯枝败叶　天高云淡　漫江碧透　落叶飘零
秋高气爽　秋雨绵绵　金秋季节　秋风萧瑟　秋风送爽
中秋月圆　秋虫唧唧　秋实累累　秋去冬来　桂花飘香
重阳登高　秋热如晨　秋凉如水　霜白露清

◇绝妙句子

✽啊，秋雨把梧桐哥的衣裳打黄啦，给秋天添上了一身神秘的彩装。

✽草坪边上的枫树开始飘下几片黄中透红的落叶，它们像小鸟在飞。啊！原来是秋风让落叶长了翅膀。

✽秋天带着一身金黄，迈着轻盈的脚步，悄悄地来到了人间。

✽秋光绚丽，金风送爽，如海的高粱举起火把，无边的大豆摇响铜铃。

◇华彩语段

✲朝阳升起来了，把秋天的天空照得异常的明亮。由秋天的野花装点得色彩斑斓的山坡，在阳光下，更加绚丽。风吹动着枫树的树冠，沙沙作响。一柄枫叶脱开了枝头，随风悠悠荡荡地飘落。它在生命的最后旅程中，给这个世界留下多么美好的形象！

✲时令渐入深秋，寒意逐步逼来。马路上，冬青渐渐招架不住，露出倦意；美人蕉炫耀了一个夏季后，花也凋了，叶也枯了；校园里的梧桐树叶也只剩寥寥数片。只有菊花还傲然挺立着。

✲八月末尾的一个明朗的晴天，天空是清水一般的澄清。风把地面刮干净了。风把田野刮成了斑斓的颜色。风把高粱穗子刮黄了。荞麦的红梗上开着小小的漂白的花，像一层小雪，落在深色的杆子上。苞米棒子的红缨都干了，只有这里一疙疸没有成熟的“大瞎”的缨子，还是通红的。稠密的大豆的叶子，老远望去，一片焦黄。屯子里，家家户户的窗户跟前，房檐底下，挂着一串一串的红辣椒，一嘟噜一嘟噜的山丁子，一挂一挂的红菇茛，一穗一穗煮熟留到冬天吃的嫩苞米干子。人们的房檐下，也跟原野里一样，十分漂亮。

4．冬

◇精美词语

冬天　立冬　冬至　寒冬　冬季　冬景　冬装　初冬
严冬　过冬　深冬　残冬　隆冬　冬衣　冬风　冬眠

◇常用成语

北风呼啸　漫天飞雪　雨雪交加　冰封雪盖　鹅毛大雪
寒冬腊月　寒冬袭人　冰天雪地　数九寒天　天寒地冻
雪花乱舞　白雪皑皑　天冻地裂

◇绝妙句子

✽淘气的北风吹着口哨来啦，想吹落雪大衣，想吹跑雪被子。

✽笔直的水泥路上已经盖上了一条长长的白地毯，那么纯洁，那么晶莹，看起来真叫人不忍心把脚踩上去。

✽冬雪覆盖了大地，万物披上了银色的时装，漫长而又寂寞的严冬提前到来了。

◇华彩语段

✽早晨起来，冬雾迷漫。雾散之后，立即出现一幅奇景，那青松的针叶上，凝着厚厚的白霜，像是一树树洁白的秋菊：那落叶乔木的枝条上裹着重霜，宛如一株株白玉琢的树：垂柳银丝飘洒，灌木丛都变成了洁白的珊瑚丛，千姿百态，令人扑朔迷离恍惚置身于童话世界中。

✽冬天，雪花像晶莹透明的小精灵，调皮的翻着跟斗飘落在山腰上，落在大地上。草原上白雪皑皑，是一个粉妆玉砌的世界。棵棵苍松仍油绿一片，只是上面挂满了蓬松松，沉甸甸的雪球儿，风儿拂过，美丽的雪球簌簌地落下来，雪末儿映着阳光，像五光十色的玉屑。

✽树上的雪融化了，雪水顺着树干流下来。半溶的雪水，像瞎马的眼泪一样，滴滴嗒嗒地落在堤上，落在他的身上，几乎把衣服打湿了。

✽严冬把大地冰裂了……

小狗冻得夜夜的叫唤，哽哽的，好像它的脚爪被火烧一样。

天再冷下去；

水缸被冻裂了；

井被冻住了；

大风雪的夜里，竟会把人家的房子封住，睡了一夜，早晨起来，一推门，竟推不开了。

5. 晨

◇精美词语

曙光　曙色　明旦　旦日　晓明　清晨　黎明　晨曦
破晓　拂晓　凌晨　早晨　晨光　晨星　晨风　晨辉

◇常用成语

晨光绚丽　旭日东升　万物初醒　晨风习习　晨光暗淡
东方泛白　天刚破晓　东方欲晓　天色微明　朝霞满天
空气清新　晓雾弥漫　雄鸡报晓　星星寥落　晨光熹微

◇绝妙句子

✽故乡的清晨，是那么的宁静，那么的纯洁，那么的美丽。

✽满天红云，满海金波，红日像一炉沸腾的钢水，喷薄而出，晶莹耀眼

✽一轮红日从东方徐徐升起，金色的阳光洒满了大地。

◇华彩语段

✽东边的天空火红火红的，青青的芦苇映着这片霞光，微微闪出一种紫色。叶片上有露水，水珠儿是红的，芦苇的头一动，红水珠上就跟着闪出蓝的、橙的、黄的颜色的光芒，就像神话里的那种宝珠。不时的，有一只翠绿的小青蛙“噗”一声跳上芦苇，蹲在叶梗上，那水珠就纷纷地往下掉落，落在清碧碧的河水里。

✽清晨，荫绿的山谷里，百鸟啁啾，明丽的太阳光，照着盛开的攀枝花树 ，乳白的晨雾，像轻纱似的，慢慢

被揭开了，火红的攀枝花，仿佛一片殷红的朝霞浮荡在山谷里。

✽天空浅灰色，西北角上浮着几颗失光的星。隔墙的柳条儿静静地飘荡着，一切都还在甜睡中，只有三五只小雀儿唱着悦耳的晨歌，打破了沉寂。我静静地站着，吸着新鲜的空气，脑中充满了无限的希望，浑身沐浴在欢乐之中了。天空渐渐变成淡白的——白的——浅红的——红的——玫瑰色的颜色，雀儿的歌声渐渐高起来了，各处都和奏着。巷外的车声和脚步声渐渐繁杂起来。一忽儿，柳梢上首先吻到了一线金色的曙光，和奏中加入了鹊儿的清脆的歌声。

6. 午

◇精美词语

午休　午后　午前　午时　前晌　日中　晌午　正午
下午　上午　中午　当午　午睡

◇常用成语

艳阳高照　赤日炎炎　天高云淡　碧空如洗　万里无云
日轮当午　阳光灿烂　天清气朗　秋高气爽　天色阴沉
烈日当空　当午日明　中午时分　日正中天　丽日临空
秋雨绵绵　彩虹高挂　蝉声阵阵

◇绝妙句子

✽一个夏天的中午，天空晴朗，烈日高挂，连一丝风都没有，大地像蒸笼一般，热得让人喘不过气来。

✽中午时分，太阳把树叶都晒得卷缩起来了。知了扯着长声聒吵个不停，给闷热的天气更添上一层烦躁。

✽这时，方圆几十里毫无一点声息，只有电风扇在默默地工作。

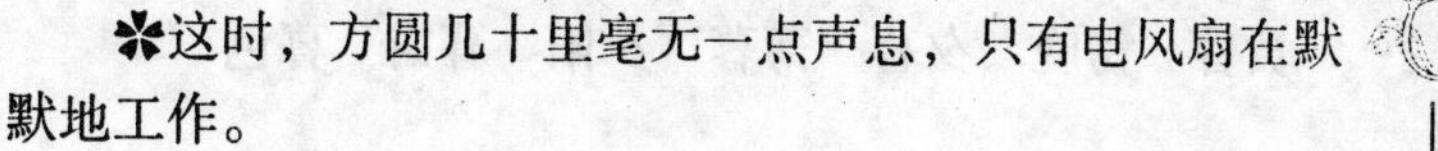

◇华彩语段

✽隆冬季节，气候严寒。惟有到了中午，阳光煦暖地照着，那树上、房屋上和山坡上的积雪，开始融化，冻结的土层，也变得柔软起来，脚踩在上面，发出吱咕吱咕的声音，软软的，很是舒适。这时，你到处都能听到嘀哒嘀哒的水声和雪团掉落的响声，该是隆冬晴日的动人舞曲吧！

✽在这夏日的晌午，镜子般的水面，反射着银色的光。岸边的绿柳和白杨，灵化了似的耸立着，给还乡河投出凉凉的阴影。青草、芦苇和红的、白的、紫的野花，被高悬在天空的一轮火热的太阳蒸晒着，空气里充满了甜醉的气息。

✽时值中午，春阳温暖地直射地面，照得山山水水一片明丽。枯叶河暴涨的春潮，将河床溢得满满档档，流水哗哗，翻着波浪，被阳光一照，闪闪烁烁，似滚动着万斛银珠金粒。水汽随着微风飘漫，两岸的村舍，沐浴着阳光，散发出阵阵凉润的馨香，沁人心脾，令人陶醉。

7. 傍 晚

◇精美词语

黄昏　傍晚　夕暮　薄暮　夕阳　暮霭　暮色

◇常用成语

夜暮笼罩　夜暮降临　华灯初上　万家灯火　天色渐暗
日薄西山　落日余辉　炊烟四起　掌灯时分　灯火齐明
夕阳西下　时近黄昏　暮色降临　时已黄昏　暮色苍茫

◇绝妙句子

✽夕阳压山，淡红色的晚霞涌现出来，堆着微笑，露出了镇郊恬静的黄昏。

✽夕阳好像一颗红熟红熟的大苹果，高高挂在枝头，漫空铺染了灿烂的色彩。

✽一个寒冬的傍晚，灰暗色的天空中，大雪夹着呼呼吼叫的北风，纷纷扬扬地飘落下来，把大街小巷变成了一个粉妆玉砌的银白世界。

✽夕阳似乎陡然从地平线上断裂了，无声无息的消

失，对面山口上，只残留着一条血红。

◇华彩语段

✲黄昏已经谢去，夜幕早已铺开。高高的法国梧桐，被刺眼的白色路灯照亮。在黑色的夜空里镶了一圈又一圈墨绿，有时被拂过的夜风飘动，发出轻轻的沙沙声，只那么一阵，就消失在无限的宁静之中。

✲这时，正是夕阳西下的时分，草原上笼罩起金色的寂静，远处山峦披上晚霞的彩衣，那天边牛乳般洁白的云朵，也变得火带一般鲜红。草浪平息了，牧归的牛羊群从远方草原走来；只有那些夜间也不回返的骆驼群，还在那柳林附近的湖边上游荡着……

✲夕阳西下，学校沐浴在余辉的彩霞中，同学们三三两两地在校园内漫步，晚风徐徐送来一阵阵花草的清香，使人心旷神怡，更觉夕阳无限好。

✲秋末的黄昏来得总是快，还没等山野上被日光蒸发起的水汽消散，太阳就落进了西山。于是，山谷中的风带着浓重的凉意，驱赶着白色的雾气，向山下激荡，而山峰的阴影，更快地倒压在村庄上，阴影越来越浓，渐渐和夜色混为一体，但不久，又被月亮染成了银灰色了。

8．夜

◇精美词语

整夜　黑夜　星夜　寒夜　残夜　冬夜　秋夜　年夜

夜晚　夜间　入夜　半夜　子夜　午夜　深夜　长夜

◇常用成语

万籁俱寂　夜色朦胧　深更半夜　通宵达旦　日以继夜
夜深人静　夜色迷人　月明星稀　夜色柔美　夜阑更深
悠悠长夜　漫漫长夜　夜幕低垂　夜幕笼罩　夜色阴沉

◇绝妙句子

✽满天的繁星和那海岸上的盏盏明灯互映在水中，显得那么耀眼，那么令人心旷神怡！

✽夜幕已经垂下，西方天空的红色的晚霞变紫，变灰，变黑，终于遁去。

✽啊，春夜，多美的春色，积蓄着多少希望，蕴含着多少春光明媚的早晨。

✽街道像一条波平如镜的河流，蜿蜒在浓密的树影里，只有那些因风而沙沙作响的树叶，似在回忆着白天的热闹和繁忙。

◇华彩语段

✽眼前的景象颇似一幅中国画：溶溶的月色，悠悠的江水，卖粥的小艇，“长须”轻拂的古榕，寒光闪闪的古炮，耍拳弄棒的人们……啊，鹅潭的夜色真美，那是富有中华民族传统的美。

✻月亮从树林边上升起来了，放出冷冷的光辉，照得积雪的田野分外白，越发使人感到寒冷。没有叶子的树林，一片光秃秃的树桠，现在炭条似的黑色，冷悄悄地站着，没有一点活气。蓝天里的星儿，仿佛怕冷似的，不安地眨着眼睛。

✻天空满是碎云，半圆的月亮时隐时现。周围非常寂静，只有青蛙偶尔呱哇呱哇地叫几声。在远处山谷里，一只鸟在怪声地叫着，很像是一个孩子在哭。

✻山村的夏夜，是一台热闹的音乐会。银白色的月光里，蟋蟀在弹琴，蝈蝈在吹黑管，青蛙在敲木鱼……山里孩子的心呀，随着蟋蟀的叫声飞进了草丛，随着蝈蝈的叫声飞上了山峰，随着青蛙的叫声飞进了水塘。

三、江河湖海

1. 江 河

◇精美词语

河面　河流　河谷　河槽　河床　河滩　河道　河心
河边　河川　干流　支流　岔流　风浪　急流　浊浪
江流　江涛　江浪　江心　江陵　江岸　江畔　江源
激浪　山洪　洪水

◇常用成语

秀水青山	碧江盈盈	一泻千里	江水浑黄	江水湍急
春江水暖	风急浪高	江涛拍岸	清澈见底	斗折蛇行
推波助澜	浪峰波谷	河水粼粼	河水哗哗	大浪淘沙
川流不息	江满河溢	流水潺潺	百川归海	大江东去
河水浑浊	山环水绕	洪峰如山	河水奔流	山光水色
浩浩荡荡	江涛激荡	万马奔腾		

◇绝妙句子

✽小河是极其平凡的，没有奇特的风景，没有磅礴的气势，但它每天都是新的，时时刻刻在创造着美。

✽深水处，河水碧绿，与岩边的树叶融合成浓浓的绿色世界，都分不开哪是树，哪是影，哪是水。

✽微风吹来，鸭绿江面上便泛起朵朵浪花，发出有节奏的哗哗声，好像一支乐曲，悦耳动听。

✽红褐色的河水像瀑布一样，从上游山峡里直泻下来，撞击在岩石上，飞溅起一丈多高的浪花，震耳欲聋。

✽路边的小河静静地流着，在阳光的照耀下像一条闪光的银带子，远远望去像一条蜿蜒爬行的银蛇。

✽岷江就像母亲一样养育着这片生机勃勃的土地，浇灌着庄稼，哺育着人们。

✽它那诗情画意的江水，环绕着天全城向西日夜不停地流淌着，它流去了父辈的烦恼，医好了家乡的创伤，给人们带来欢乐，也带来了希望。

✽火热的太阳照得小河波光粼粼，孩子们像泥鳅一样在河里穿梭往来，河面上溅出一朵朵雪白的浪花，小河两岸的笑声，传遍了山村的每个角落。

◇华彩语段

✽原先像镜子一样平静的河面，今天被密密麻麻顽皮的雨敲打出无数个小坑和小圆晕，小坑和小圆晕时隐时现，不断变幻，给河面增添了有趣的图案。

✽田野上那无限明媚的春色，把小河打扮得更加妖娆。河两岸，一排排垂柳，长出嫩绿的枝芽。一只只布谷鸟、喜鹊在枝头蹦跳，唱出清脆婉转的歌，垂柳的枝条伸进解冻的小河里，好似在跟小河亲切握手。微风吹过，水面上荡起了一道道波纹，映在水里的青山绿树，一会儿扩大，一会儿缩小，一会儿聚拢，一会儿散开，像调皮的鱼儿在那里游动。

✽走到河边，首先映入眼帘的是那绿得像翡翠般的河水。河面上，几只不知名的小鸟在水面上空唧唧追逐，给远方的舞羊河平添了生气，河的西岸是悬崖峭壁，远处的山坳“天桥”横架；河岸的“石柱”拔地而起，真是危峰兀立，怪石嶙峋，高大坚固的石坎像一条藏头藏尾的巨蟒，横卧河中。

✻碧蓝明净的古运河，像一匹美丽的蓝缎，终年不息，缓缓流淌着。白天，河上帆影点点，汽笛声声，船来轮往，交织着一片沸腾和繁忙；入夜，河面银波粼粼，映着满天星斗，细浪轻轻舔着岸石，又仿佛在娓娓地讲述着古老的故事……每当狂风暴雨时，它像一头发怒的狮子在咆哮，又如数条蛟龙在打仗，水急浪高，声势慑人。

✻大潮来了！向东眺望，只见潮头缓缓地向前涌动。转眼间，轰鸣的潮声更响了。大潮忽又化作无数挤挤挨挨的洁白如雪的天鹅，仿佛被什么驱赶着，急匆匆奔跑而过。潮声的声势更加大了，好似春雷炸响轰鸣，不绝于耳。潮水好像凶猛的银龙直扑海塘，咆哮的雄狮横扫大堤；又恰似威勇的千军凌波争渡，奔腾的万马踏水而至。潮声震耳欲聋，浪头汹涌澎湃，雷霆万均，气势磅礴。相隔几分钟后，便可看到一阵从南呼啸而来的回头潮，扑向从东边咆哮而来的浪潮头，翻翻滚滚，形成叠起的巨浪。紧接着，先到的潮头撞在北岸上，形成一股更为迅猛的回头潮，于是三阵疾速的潮头在江中猛然相互撞击在一起。刹那间，激起十几米高的冲天水柱，发出崩云裂岸的轰然巨响。

✻傍晚，我来到好久没有来过的小河边，领略小河美丽的秋景。高大的白杨树，已经脱下它那翠绿色衣裳。青青的小草，变得一片枯黄。好看的各种花朵都不见了，只剩下摇曳的细茎。河里已经没有多少水，失去了它往日欢笑的大嗓门，细声细气地像个文静的小姑娘。一群鸭子不嫌水浅，仍游得摇头摆尾，悠闲自得。太阳快落山了，几抹晚霞给小河两岸嵌上了金边，那清澈的水面也泛起细碎

的金光。

初春时节，我又来到了湘江河畔，湘江两岸桃红柳绿，刚落一场春雨，潮润的土地蒸腾起缕缕白烟，使人感到更加舒适，明快。江中百舸争流，白帆碧水，远远望去，好像飘过一群白天鹅。

✲我家乡的大渡河，虽然不及滔滔的长江，比不上汹涌澎湃的黄河，但却有《西游记》中“鹅毛飘不起芦花定沉底”的流沙河的气势。河面上漩涡重重，波浪打在岩石上，溅起一人多高的烟波，远远望去，就像千军万马扬起烟尘，掩杀过来，令人惊心动魄。冬天，河底的岩石微笑着向太阳招手，水面上只有粼粼的波浪。可是每逢夏天，河底像开锅的水，汹涌澎湃，这时，一根一根的木材躺在大河母亲的怀抱里飘向远方。

✲长江，它浩浩荡荡，滚滚滔滔，浪花相接，万里奔腾。它冲破峡谷，划开原野，映着日月，载着轮帆。有时如泣如诉，有时如怒如吼，仿佛它的每一朵浪花，都要告诉人们，在这古老而又年轻的土地上，有许许多多可歌可泣、可歌可赞的故事。它蜿蜒曲折，但终究朝东流，倾注入海。

✲伫立在黄河岸边，就像儿子站在母亲膝下。瞧啊，那宽阔的水面，是你坦荡的胸怀，那满河的小波浪，是你脸上的皱纹；那浑黄的流水哟，是你甘甜的乳汁；河两岸的树木、花草、庄稼呢，是你长裙上五彩缤纷的飘带。

✲月亮刚从平原上探出头来，沙面上闪烁着一道道鱼鳞似的银光，春天的沙滩，是温柔的，娴静的，金色的鲤鱼，不时地跃出水面，把平静的河水激起一个个银色的圆圈。圆圈在扩大着，扩大着，一直扩展到河两岸河坝下面的水草里。于是，浸在水草里的星星，也闪闪跳跳地晃动起来，活像无数颗金珠在一幅蓝绸子上滚动着，河水轻轻地拍击着堤岸，发出泼剌泼剌的响声。

2. 湖 海

◇精美词语

湖波 湖色 湖岸 湖堤 微湖 海水 海峡 海岸
海域 海疆 海湾 海口 海岛 海浪 海流 海滩
湖面 湖心 湖水 湖光 湖畔 湖泊 湖泽 湖滨
海啸 海产 海港 海底 海风 海雾 海涛 海鸥

◇常用成语

绿波荡漾 波浪汹涌 湖水拍岸 银浪翻滚 月映湖面
千屋碧浪 碧水茫茫 云水茫茫 金波闪烁 湖柳绕堤
湖光山色 湖清水净 湖水荡漾 湖光塔影 湖平如镜
烟笼寒水 绿水盈盈 轻舟若飞 白鸥掠水

◇绝妙句子

✽一到夜晚，从远远的湖上，那天与水交界的地方，灿烂着很繁密的星星。波纹上下轻轻晃动，闪烁着点点星星。

✲在艳阳的照耀下，湖面好似撒下了崭新的金币，浮光跃金，五彩缤纷，令人目眩。

✲阳光照在波光粼粼的湖面上，像给水面铺上了一层闪闪发光的碎银，又像被揉皱了的绿缎。

✲浩瀚的大海好像和天连在一起，滔滔的海水撞击着礁石，发出雷鸣般的响声。

✲盈盈的湖水一直荡漾到脚边，却又缓缓地退回去了。像慈母拍着将睡未睡的婴儿似的。

✲我们走到湖边，看见碧绿的湖水里倒映着远处的小亭子，天空中的白云，湖边的杨柳……真像一幅美丽的水彩画。

✲海浪穿着清澈碧蓝的纱裙，裙角一直连在天边云彩上，还不时地一起一伏地舞动着。

✲月亮照在大海上，海面上鳞光熠熠，好似千万条银色的鱼儿在海中跳跃游嬉。

✲浪花是海上的奇景，可她更像一位舞蹈家，她能使人抛开烦恼，尽情地欣赏。

✲海水满盈盈的，照在夕阳之下，浪涛像顽皮的小孩似的跳跃不定，水面上一片金光。

✽大海多么迷人，然而大海是千变万化的，它也有发怒的时候，有时咆哮如雷，后浪猛击前浪，犹如千军万马在怒吼……可怕极了！

✽海水温情地舔着我的脚，浪花像慈父的大手抚摩着我，摇曳着我的衣襟。

✽刚刚还像雄狮一样怒吼着的大海，立刻变得安静起来，仿佛拖着疲惫不堪的身子，慢慢地，向大海深处退去。

◇华彩语段

✽多么美丽的湖啊！犹如一幅美丽的画卷展现在我们面前，蓝绸般的湖水，一直伸到远山的深处。远远望去，湖面上白帆点点，一只只小船好似一片片树叶在水面飘动。突然刮起一阵风，就可以看见一个个小浪争先恐后地向岸边涌来，可是刚上来，又像怕有人拽它似的，马上退了回去。

✽站在湖边向湖面眺望，眼前一片明艳。荷叶覆盖了湖面，像给碧蓝的湖面披上了绿装。仔细看，一片片的荷叶像磨盘那么大，像油菜叶子那么亮，碧绿碧绿的。细细的绿秆儿撑着荷叶，像一把小小的绿伞。更使人喜爱的是荷叶丛中盛开了许多白色和粉红色的荷花。这些荷花的花瓣包裹着嫩黄的小莲蓬，好像在保护小莲蓬的成长。这时候，我们划着小木船，划进那荷叶丛生的地方。我们坐在小船里，一会儿抬头看蓝天，一会儿向前看湖面，陶醉在那美丽的景色中。

✲湖水蓝蓝的，真静哪！静得让你看不出它在流动，轻风一吹，层层水浪，犹如起了皱的裙幅，均匀地平铺在湖面上，蓝蓝的湖水映着雪白的云，鼓起的浪花吻着流云的倩影，明极了，亮极了。这云，这水，这天，这浪，和着柔柔的微风，好一派优美的景致。使人心旷神怡。

✲初夏的一个星期天，我漫步在湖边，放眼望去，湖面宽阔，景象壮观。太阳乍起，湖面上冒着淡淡白气，人站在湖边，仿佛置身于仙雾仙境一般；太阳升高了，微风习习，在灿烂阳光的照耀下，湖面波光粼粼，银光闪闪，像一湖的银鱼在跳跃。天阴了，风停了，湖面恢复了平静，宛如一面镜子。啊，下雨了，湖面更是一派迷人的景象；远处，湖面烟雨蒙蒙，水天相接；近处水花朵朵，像无数朵盛开的梨花。

✲风轻柔地抚摸着海的绸缎似的胸膛，太阳用自己的热烈的光线温暖着它；而海总是在不停地喘息着，咆哮着；把风的轻柔，把太阳的炽热，化作一团白雾，洒向岩边，升腾空中。

✲这里游人稀少，显得很宁静。远处连绵不断的山倒映在平静的湖水中，一阵微风吹来，刚才水平如镜的湖面立刻泛起鱼鳞般的波纹，在阳光的照耀下闪着点点银光，像撒满了珍珠一样。微风一过，湖水又恢复了平静。湖面的几片荷叶，是那么绿，又给湖水增添了几分姿色。

✲海水是皎洁无比的蔚蓝色，海浪是平稳得如春晨的西湖，偶有微风吹起了绝细绝细的千万个粼粼的小皱纹，这更使照晒于阳光之下金光灿烂的水面显得湿秀可爱。我没有见过那么美的海！

✼当傍晚涨潮的时候，大海却变成了另一副模样。它变得像一个无边的战场。海风吹着尖利的号角声，海浪似乎是千百乘铁骑，向海岸猛烈地攻击着，发出隆隆的怒吼声。岸上千斤重的大石，给它轻轻一拂，就淹没到海底去了。这时，银盘似的月亮刚露出笑脸，看到这种情景，它害怕地颤动了一下，躲进了云层。

✼近处，海面那么明净的透澈。轻轻的微波渐渐地向岸边移来，越来越近，冲在沙滩上、岩石上，泛出层层白花，溅起颗颗银珠，又悄悄地消失在海滩上。远望，海水和天空似乎一样颜色，海天仿佛连在一起。天边飘浮着几朵白云，恰如出海捕鱼的船帆，缓缓地向远方漂去……

✼大海上一片静寂。在我们的脚下，波浪轻轻地吻着岩石，睡眠了似的。在平静的深暗的海石上，月光辟了一条狭而长的明亮的路，闪闪地颤动着。银蛇舞动一般。远处灯塔上的红光镶在黑暗的空间，像是一块宝石。它和那海面银光在我们面前揭开了海的神秘——那不是狂暴的不可测的可怕的神秘，那是幽静的和平的愉悦的神秘。

✼平静的海面突然露出狰狞的嘴脸，像一锅烧滚的开水，猛烈地沸腾起来。那张牙舞爪的浪花，就像被困锁的妖魔鬼怪解脱出来了。顷刻，大海兜底荡动了，狂风驾着奔涌的浪头，哇哇地叫着扑向山岩，蓝湛湛的海水骤然变

了颜色，暗礁下的灰沙黑泥乘机腾烟起雾，搅浑一切。

✲宽阔的沙滩上满是晶莹、细小的沙子，一脚踩上去，就像踩上了松软、舒适的地毯。一个浪打来，海水冲到我的脚上，凉爽、舒适。水退了，带走的沙子从我脚边滑过，觉得有些痒痒，也有些沙子留下来，使我的脚往沙子里陷进了一块。又一个浪打来，脚就又陷进去一块。一连几次，连脚背也被沙子淹没了。

✲每当晴朗的早晨或是静谧的月夜，海上风平浪静，微波不兴，只有那几乎是看不见的细浪温柔地轻轻地舐着沙滩，发出一种几乎是听不清的温柔的絮语般的声音的时候，人们就像置身在温馨的夜里，在月色溶溶柳丝拂拂的池塘旁边倾听一支优美动人的小夜曲时，情不自禁地激起一种洋溢着诗情画意的恬静而又近于陶醉的感情。这时候，人的心里就像一片透明的水晶，去领略这充满了优美的诗意的享受。

✲夜幕渐渐降临了，人们仍成群地坐在礁石上。极目水天相接处，一条条极细的忽明忽暗的白线，愈来愈近，忽然分成几段，翻着一片白花，消融在暮色中，接着又有新的白线兴起。脚下，轻浪拍打着礁石，发出阵阵喷珠击玉般的脆响。对面海岛的轮廓渐渐溶入夜幕中，这时，栈桥和沿海的路灯一齐散亮，像串串珠链，晶莹剔透。天上的星星，山下的灯火，一齐眨眼，愈来愈多，愈来愈密，渐渐叫人分不清哪是星光，哪是灯光。港口的灯塔，闪闪地在夜海下划出一条红色的长带。进港海轮下的点点航灯，如萤火飘忽，如流星滑过。举目四望，这分明是一幅

有声的画，一首有彩的歌。

✲海水悄悄爬上沙滩，嬉戏着、呢喃着，有时还开玩笑似的抚摩我一下。当我被它那冰凉的水惊醒时，它却调皮地跑开了。有时，它会噙着一朵素洁的花向我走来，我俯身去摘，捧起的却是一汪清凉的水。有时候，它又会把可爱的小贝壳、小海螺、小海宝推到我脚边。我感谢它的小礼物，它满意地笑了，发出汩汩的声音。

3. 溪、泉、瀑、池

◇精美词语

淙淙 湍急 平缓 清澄 温泉 矿泉 甘泉 飞泉
喷泉 飞瀑 瀑布 直泻 倾泻 飞流 奔泻 奔腾
奔涌 池水 小溪 溪涧 溪流 溪水 溪畔 叮冬
潺潺 清澈 涟漪 清泉 山泉 玉泉 池塘 荷塘
鱼塘

◇常用成语

溪流蜿蜒 溪水叮冬 溪水潺潺 汩汩而流 喧声如雷
泉水叮冬 泉水汩汩 飞泉如雪 清泉涌流 泉水怒涌
流水潺潺 流水淙淙 小溪环山 一泓溪流 碧波小溪
泉水碧绿 一股温泉 一缕清泉 银湖泻波 飞流直下
飞瀑泻玉 飞珠溅玉 悬泉飞瀑 水帘悬挂 水花四溅
散珠细雾 腾空而下 直泻而下 碧叶红花 碧波荡漾

◇绝妙句子

✽小溪悄悄地流着，像小孩在那儿静静地玩耍，一会儿拍拍岸边五颜六色的石卵，一会儿摸摸沙地上伸出脑袋来的小草。

✽溪水顺着弯弯曲曲的山谷流下来，时而急，时而缓，当溪水从高坡上流下来时，如小瀑布一般，飞溅起团团水雾，溪水清澈透明，可以清楚地看见溪底的沙石。

✽小溪卷着无数朵小浪花，拂着杨柳垂下水面的“秀发”，弹着“琴弦”，钻进一座双拱的石桥，快乐地向远方流去。

✽小溪的水长久不涸，一年四季唱着那和谐悦耳的歌曲，温柔而欢快地流着。

✽溪水在月光下闪动着细碎的鳞纹，铺绸抖缎一般，水窜岩石，摇铃击磬似的，声声作响，清音圆润，闻之神爽。

✽峡谷中的溪水真像长出了翅膀，飞上山头，变成千百个大喷壶，浇灌着一片片庄稼。

✽小溪就像一条缀满闪光宝石的飘带，深深扎在富饶而美丽的土地上。

✽泉水日夜不息地从山缝中浙出，涓涓滴滴，汇成细小的清流，从乱石丛中穿过，从山崖上跌落，曲曲弯弯，流淌在杂草和荆棘丛生的坎坷的山岩之间。

✽泉水犹如一曲美妙而神奇的电子音乐，弹着琴，唱着歌，充满活力，无比欢畅，奔向远方。

✽仙女洞的山泉声，又像管弦乐一般传来，忽高忽低，时断时续，有如一根看不见的细丝，抚爱着、缠绕着这座山谷。

✽清澈的泉水从岩缝间汩汩涌出，汇成一片溪流，从大大小小的山石上淌过，欢快地唱着歌儿向前奔流而去。

✽清清的泉水一年三百六十五天总是那样不急不忙，慢悠悠地流着、流着，流向肥沃的土地，流向茂密的山林，也流向人们的心田。

✽瀑布顺着力劈一样直上直下的绝壁流下来，仿佛青龙吐涎，激起一朵朵水花，飞溅在山间。

✽我站在白蒙蒙的水雾里，耳畔是雷霆般的轰响，望着从淡蓝色的天幕上飞夺而出的雪白瀑流，我心底的波澜就随着它奔涌而去了。

✽瀑布的水流经风一吹，扬起无数水星，像浮起的轻烟缓缓上升，像涌出的薄雾笼罩在空中。

✽这美丽洁白的瀑布就像一群顽皮的孩子，他们天真

活泼地从山顶赤着小脚丫儿蹦跳着涌下来，一落地又四散地跑开了，像朵朵的白莲。

✽那瀑布从天而降，飞流直下，仿佛一台天然的织布机在大山的怀抱中永不停息地转动，纺织出千丈白练。它是那么纤柔轻盈，美丽动人，悠悠地舒展于雄伟的天地之间。那如翠如玉的碧流，清澈得令人惊叹不已！

✽来到瀑布前，只见水流从上坠下，发出哗哗的响声，仿佛在演奏一曲交响乐。

✽远看那瀑布像一条洁白的玉带搭在那几米高的断崖上，几棵树在水流之上搭成一个棚，仿佛是一座翡翠架起的仙桥，使人如入仙境。

✽碧绿的鱼塘像一个葫芦形的大宝石，晚霞把彩色的柔光洒在鱼塘里，就像给碧水插上了一朵朵绒花。

✽池塘边柳丝摇曳，婀娜多姿，活像少女披着长发，对着明镜含笑腼腆地梳妆打扮。

◇华彩语段

✽潺潺溪水很动人的。小路边，石头的空隙中，它们愉快的，毫无顾虑的流淌着。阳光照射在水面上，闪着耀眼的光芒，就像在上面洒满了金丝碎银。偶尔，一部分溪水聚在几块石头中间，静静地淌着，小鱼儿在水中轻轻地游着。几颗水珠从石头上滴下来，在水面泛成层层涟漪。

✽那是一支涓涓的细流，看不见泛起的水花，听不到哗哗的水声，它只是平静地，默默地流着。两边的桃树、杏树、梨树，清秀茂盛，待到阳春三月，它们开的花，几乎把这条小溪覆盖起来了，使她变成了一条花溪。

✽溪水多么清。溪中照着蓝天的影子，照着桥的影子，照着蓝天上浮游的云絮的影子，又照着山上松树林的影子，照着翠鸟的影子，秋天里开放在岸边的蓝色的雏菊，向溪中的流水照亮他们的影子，溪中照着丛生在岸边的蒲公英的影子。

✽一道九弯十八曲的清澄、湍急的山溪，在他们脚下深谷底急急奔流，时时传来如鼓的浪声。那里，阳光还照射不到，溪水闪着碧莹莹蓝幽幽的光彩，而在犬牙交错、黝黑如铁的岩石间，又喷吐着雪白的乳浆一样的浪花，山溪有如一道五彩长虹，在水雾迷蒙的峭崖半中腰时隐时现。

✽月光下，似有低吟浅唱，寻声瞅去，原是一弯清流，闪动着明晃晃的光斑，神秘地流向远处。峰回路转，刚发现的涧溪一眨眼就看不见了，而那泛泛的水石相击声，仍然清晰地冲击着耳鼓，涧溪啊，孤独的散步者，你从哪里来，又要奔向那里去呢？

✽夜幕渐渐拉开，眼前的小溪展开了另一幅动人的画卷：瑰丽的早晨映红了半边天，也将绚烂的色彩柔和地辉染在溪水中——胭脂红、玫瑰红、金红、橘黄、金黄、柠檬黄、紫罗蓝、孔雀蓝、湖蓝、五光十色，美丽动人，像

燃烧的熊熊火焰；像销熔的灿灿黄金；像浮动的道道彩绸。啊，真想不到，小溪竟是这样的美。

✲忽然，“滴答”的声音使我们都停住了脚步，大家脸上露出了惊喜的神色，马上循声走去。啊！多美，只见悬崖的石壁缝中一线清清的泉水断断续续地滴落下来，恰巧滴落在一个石凹中，又从石凹的四周慢慢地溢出去，悄悄地隐入到满是青苔的石壁中。

✲山路旁，一二尺宽的小溪沟里，清澈的山泉水，好像天真可爱的孩子，时而“哗哗”地欢笑，时而“叮叮冬冬”地歌唱，欢快地向前方流去。看看那溅起的浪花，晶莹透明，我多么想趴下去“咕嘟咕嘟”痛快地喝一阵子啊！

✲两座危峰，挤出一股流泉，水在石头上蹦跳。陡崖上，处处都往下渗水，水珠儿，一串串，像挂了一袭珠帘。泉水滋润的地方，芳草芊芊，几棵幽兰，兀自开着淡蓝色的花。

✲看那三个大泉，一年四季昼夜不停，老那么翻滚，你立定呆呆地看三分钟，便觉得自然的伟大，使你再不敢正眼去看，永远那么纯洁，永远那么可爱，永远那么鲜明。冒，冒，冒，永不疲乏，永不退缩，只有自然有这样的力量！冬天更好，泉上起了一片热气，白而轻柔，在深深的长长的水藻上飘荡着，不由你不想起一种似乎神秘的境界。

✽池边还有小泉呢：有的像大鱼吐水，极轻快地上来一串水泡；有的像一串明珠，走到中途又歪下来，真像一串珍珠在水里斜放着；有的半天才上来一个水泡，大，扁一点，慢慢的有姿态的，摇动上来，碎了。看，又来了一个：有的好几串小碎珠一齐挤上来，像一朵攒得整齐的珠花，雪白；有的……这比大泉还更有趣。

✽来到瀑布前，发现这里的瀑布是阶梯式的，层层叠叠，一浪涌着一浪，一浪推着一浪，虽不及黄果树瀑布那样雄伟、声势浩大，也不能用“飞流直下三千尺，疑是银河落九天”的诗句来形容，但它却别有一番韵味儿。

✽远离瀑布还有好几里，先听到丘壑雷鸣，先看到雾气从林中升起，走上前去一看，只见一股洪流直冲而下，在日光映射下，像是悬空的彩练，珠花迸发，有如巨龙吐沫，水冲到潭水里，激起了沸腾的浪花，晶莹的水泡。大大小小的水珠，随风飘荡，上下浮游，如烟如雾，如雨如尘，湿人衣衫。上有危崖如欲倾坠，下有深潭不可近视。轰隆的巨响，震耳欲聋，同游伴旅虽想高谈几句，也好像失去了声音。

✽大瀑布近在咫尺，蓦地出现在我们面前！它宽达1700米，高达160米，从石床上直泻下来，宛如洪波决口，大海倒悬！它闪动着银光，泻进深不见底的沟壑，于是沟壑里万雷齐鸣，雪浪翻滚，水雾腾涌。更有那嶙峋怪石激扬起水花，宛如一束束晶莹的珍珠抛在天空，又洒落下来，使游客周身淋湿，也使那崖上树木洗得一尘不染，青葱葱生机勃勃。

✽这是一个秋季的薄阴的天气。微微的云在我们顶上流着。岩面与草丛都从润湿中透出几分油油的绿意，而瀑布也似乎分外地响了。那瀑布从上面冲下，仿佛已被扯成大小的几绺儿，不再是一幅整齐而平滑的布。岩上有许多棱角，瀑流经过时作急剧的撞击，便飞花碎玉般乱溅开了。那溅着的水花，晶莹而多芒，远望去，像一朵朵小小的白梅，微雨似的纷纷落着。

✽你瞧，在那绿树成荫的两山之间夹着雄伟的大瀑布，急驰飞奔的水流直泻而下，像奔腾咆哮的万匹野马破云而来，又像神话中的仙女披着银纱，在斜阳的照射下，光彩夺目。

✽池塘上浮着一层白蒙蒙的雾气。慢慢朝半空中升，好像要和垂得低低的乌云连到一起。哈，大雨到，泥鳅跳，可不是嘛，水面上冒起一个个水泡，泥鳅从塘泥里钻出来，直往水面蹿。

✽春天，池塘边一棵棵的水柳绽出了嫩芽，把池塘打扮得像一块翡翠一般。池塘里的鱼儿自由地在“绿色的天堂”里追逐嬉戏。荷花也悄悄地露出了水面，像一个粉红的小姑娘，给人以万绿水中一点红的感觉。这时，我情不自禁地扔下一颗石子，啊！平静的水面又泛出了大大小小的波纹，大水纹套着小水纹，一圈又一圈扩展开去。随着水纹的荡漾，水面的荷叶也浮动起来，仿佛一个小姑娘在翩翩起舞。

✲池塘春水绿得仿佛是一块无瑕的翡翠；塘面平静得像一块明晃晃的镜子，倒映着红瓦绿树；天上朝霞落入池中，池水一片胭红。有时池水里是一片蓝天飘着白云，有时鱼儿跃出水面，碎了一面明镜。

四、城市 乡村 校园

1. 城 市

◇精美词语

水榭 假山 游船 游艇 快艇 花坛 商场 商店
公园 花园 草坪 草地 凉亭 廊亭 湖水 湖面
商行 商品 商号 货摊 店铺 饭铺 肉铺 药铺
渔船 帆船 渡船 轮渡 江轮 客轮 货轮 海轮
机场 飞机 专机 班机 客机 住宅 住房 平房
渡口 港口 码头 船舶 游船 汽船 航船 木船
矮房 民房 楼房 宅院 高楼 大厦 别墅 街道

零售店 钟表店 美容店 理发店 缝纫店 杂货店
风景区 商业区 工业区 大城市 直辖市 石油城
火车站 汽车站 飞机场 航空港

◇常用成语

政治中心 秀丽名城 人如潮涌 摩肩接踵 经济中心

超级市场	自选商场	百货商场	自由市场	国营市场
园林清雅	气势雄伟	交通中心	综合城市	城市繁华
经久耐用	经济实惠	眼花缭乱	琳琅满目	目不暇接
服务周到	方便顾客	笑迎宾客	买卖公平	车流如潮
农贸市场	各式各样	品种繁多	物美价廉	质量可靠
直上蓝天	腾空而起	高楼大厦	拔地而起	古貌新颜

◇绝妙句子

✽一进公园，顿时感到心旷神怡，那绿色的山连着绿色的水，绿色的水倒映着绿色的山，再加上山顶白塔耸立，岸旁杨柳拂动，湖光山色，异常美丽。

✽雪松后面是一片草坪，在一片绿海之中点缀着一片黄色，好像是用黄绿毛线织出来的。

✽我家对面的五府饭店就像玉皇大帝灵霄殿，在烟雾中若隐若现。

✽照明灯洒下桔色的光晕，整个商场显得典雅、素洁，仿佛步入长长的画廊。

✽街中心有一个大花园，五颜六色的彩旗拉起了花园的围墙，绳子上挂着五彩缤纷的彩灯，一闪一闪，好像是缀满珍珠的彩带。

✽车站上还真热闹，车来人往像个小集镇似的。

✽首都机场候机大厅好像水晶宫，灯火辉煌，宽敞明亮。

✽机场真大啊！椭圆形的飞机跑道旁有一片空旷的草坪，正中央有一座华丽的航空指挥台。

✽月明星稀的夜晚，家家户户的窗户里射出明亮的灯光，就像天上的群星陨落人间。

✽一幢幢高楼大厦屹立在金沙江两岸，像是保卫钢城的威武士兵。

✽那码头造得十分奇妙，简单而又灵巧，是用许多长长的条石排列而成的。那条石一头腾空，一头嵌在石岸上，一级一级地插进河床，像一条条石制的云梯挂在家家户户的后门口。

✽东单夜市好热闹啊！五彩缤纷的服装货摊，各式各样的传统风味的小吃货摊，在甬道的一侧由东向西排成了长龙阵，来往的顾客摩肩接踵，川流不息。

✽每家的阳台上，放满了美丽的盆花，有宝石花，有石榴花，有月季花，还有仙人掌。

✽忽然，所有的灯都亮了，五光十色的灯光照在马路上，街道像镶嵌了一串美丽的珍珠，过路行人的身上仿佛都披上了漂亮的彩衣。

✽我的家乡——常州，是一个美丽而富饶的大城市，

其中清潭新村像一颗灿烂的明珠镶嵌在市郊。

✽下班的人潮，川流不息的路人，车水马龙的街道，及风驰电掣的摩托车，谱成了一首紧张而刺激的“惊愕的交响乐”。

✽夜色中，更富有神秘的色彩，在四周景物的衬托下，大桥显得更加雄伟，更加壮观，五座高如铁塔似的灯群就像五个星座一样，把整个桥面照得如同白昼一般。

◇华彩语段

✽秋风飒飒。这时，群花中的佼佼者，当然要数菊花了。我走进菊花园，令人眼花缭乱，目不暇接。瞧，菊花有红的、白的、黄的、紫的，还有黑里透红的，白里掺黄的。菊花不仅色彩各异，而且姿态万千——有的彬彬有礼，有的羞羞答答，有的昂头怒放，有的倒挂枝头，有的笑舞东风，有的安详自若，有的三五结伴，有的一枝独秀。真是千姿百态，惹人喜爱啊！

✽花坛旁是平坦的水泥道。我走在水泥道上，透过前方苍翠的树叶，挺拔的枝干，看到了一幢幢楼房有规则地分布在四周。这里还有碧绿的草地，微波荡漾的湖水，形态各异的假山石，古色古香的亭子。

✽看，公园的一角有多美。园中的百花在争芳斗艳，那杜鹃花、牡丹花、月季花放出一股股扑鼻的香味。百花前面是一个湖，淡蓝色的湖水清澈见底，好像是一面镜子，又好像柔软的蓝绸缎。湖的中心有一个荷花型的喷泉，栩栩如生的假荷花上，立着一只展翅欲飞的仙鹤，从远处看像真的一样。湖边还有许多奇形怪状的假山，千姿百态。假山前面有一个漂亮的亭子，亭子坐满了人，他们有的在谈话，有的在休息。亭子对面有一个走廊，走廊后面有许多松树、柏树、杨树、梧桐树，这些树柔软的枝条随风摆动，仿佛在朝人们含笑点头。

✼站在广场中央，向前望去是一扇大门，里面有自动电梯，迎送着一位位南来北往的旅客；大门两边是售票处，小窗口前排着整整齐齐的队伍，旅客们一个个地挨着在买票。东西两头是地下通道的出口处，一群群来自祖国四面八方的旅客和世界各地的观光旅客，已从这里走向广场。

✼啃！那个昔日又脏又小的火车站“溜”到哪儿去啦？展现在我眼前的是一个又整洁又宽大的广场，附近是新盖的高楼，还有环龙商场，邮电大楼，火车站饭店……向北抬头望，只见醒目的“上海站”三个强劲有力的大字被安装在一个庞大的建筑物上。

✼每当夜幕降临，整个攀钢一片灯火辉煌，就像天上闪烁的星星，比天上的星星还要好看，还要富有吸引力。红的，绿的，蓝的，黄的，聚成一片，就像一簇簇放射着灿烂光华的鲜花。灯光一闪一闪的，更像建设者们智慧的眼睛。

✼不过现在，你到群芳小区去，再也找不到长长的小巷，拥挤的房屋了。一座座高楼拔地而起，幽静代替了喧

闹。在十幢大楼的中心有一座大花坛，花坛里开着美丽的鲜花，长着嫩绿的小草，变了！变了！一切都变了！早晨，人们骑着自行车，迎着第一缕晨曦，奔向自己的工作岗位，去开始新的一天的生活。

✽唐乐宫以它那新颖、独特的建筑艺术，吸引着每一位来古都西安游览的客人。在宫前，游人们赞叹不绝地观看那翘起的飞檐。它们有的像将要腾空飞起的雄鹰；有的像顽皮的小猴子，骄傲地翘起了美丽的尾巴；有的像奋起的金蛇，把头伸向蓝天。

✽一走进自动开启的宾馆大门，人们仿佛不是进入了宾馆，而是来到了充满鸟语花香的公园。映入眼帘的是一派大自然的景象。近处，花草繁茂，清泉潺潺，红鲤青卿，漫游其间。远处，假山重叠，怪石嶙峋，山上有亭，翘角飞檐，金顶红栏，小巧玲珑，煞是奇绝。亭下有泉，先成渠水，汩汩流出，倏然间，又沿山崖飞流直下，形成飞瀑，宛如玉带轻飘，明珠四溅，演奏着一曲天然交响乐。这里铁树峥嵘，棕榈青青，新竹吐翠，芭蕉含情。各种鲜花，争芳斗艳。

✽我的房间长七米，宽三米半，房门左边只有一米宽。站在门口向里看，门的左侧由东向西依次摆着衣柜、写字台和一个书柜。衣柜只有齐胸高；写字台上很乱：有书本、笔，中间有一块练字用的毡子，左边有个台灯，右边有个砚台。在门的右侧，由南向北依次摆放着小沙发、床头柜、床和大衣柜。床是东西方放的，我喜欢在睡前看书，所以床头放着很多书。

✽北京建国门立交桥是一座具有先进水平的、快慢车分行、互通式立交桥。大桥由四条转弯车道和三桥六洞组成，分为上中下三层，高达4. 5米。最上层是东西走向。道长1000米；最下层是南北走向，其车道犹如凹入地下的狭长的月牙槽，道长650米。这两层供机动车行驶。中层是一个椭圆形，与桥周围的马路高度相同，专供自行车等慢车行驶，这是根据我国自行车数量多的特点设计的。在桥的南北两方各150米处，有四架引桥。同样，把东西走向的车辆引向南北走向的车道。这样不需要交通警，不设红绿灯，各种类型的车辆都可以安然通过；无论车从哪方来，往哪方去，通过正桥、引桥，都可以畅行无阻。

✽这时，阿姨清脆的声音响了起来："旅客们，雄伟的南京长江大桥到了！大桥的夜景是无比壮丽的……"随着声音，我向窗外望去：只见前方两排桥灯像两条银龙，横在灰蒙蒙的江面上；光影闪烁，煞是好看。

2. 乡　村

◇精美词语

小镇　小院　院子　庭院　农舍　住房　瓦房　土房
梯田　田野　田基　田坎　原野　耕地　垦荒　耕种
砖房　窑洞　窑屋　良田　水田　旱田　稻田　屯田
村庄　村镇　村寨　山村　农村　乡村　新村　渔村
耕作　耕耘　机耕　果园　菜园　园圃　桃园　枣园
竹园　菜地　树林　树丛　森林　草原　草地　甬道

浅水田　沙底田　开荒田　丰产田　试验田　鱼米乡
成材林　护路林　护田林　护岸林　拦河坝　空心坝
防护林　防沙林　防霜林　防风林　固沙林　经济林
防洪堤　拦河闸　进水闸　排水闸　泄水闸　分洪闸
灌溉渠　人工湖　林阴道　上坡路　下坡路　盘山路

◇常用成语

青山环抱　绿荫环绕　丛林掩蔽　错落有致　美丽富饶
坐北朝南　稻浪金黄　狼尾谷穗　禾苗茁壮　一望无际
阡陌纵横　五谷丰登　六畜兴旺　鸡鸣狗吠　瓜熟蒂落
家家户户　田园风光　炊烟袅袅　一缕青烟　依山傍水
良田万顷　稻穗沉甸　麦浪翻滚　棉田银浪　稻香醉人

◇绝妙句子

✻小村的上空升起袅袅炊烟，好像一个个身穿白纱的少女在翩翩起舞，在夕阳的照耀下婀娜多姿。

✻我们的村庄，活似一枝盛放的荷莲，四周的群峰就是那活鲜鲜滴露的花瓣，中间肥沃的水稻田好像那芳香飘逸的莲台，四周的村可以算是它那散散的香蕊，白莲河流穿莲台，依依向东流去。

✻山村的早晨，有奇异的美景，一缕缕淡淡的晨雾像绸带飘在湛蓝的天空，绸带的两头分别系着远处的大山和近处的帐篷。

✽早上，弥漫在山谷和树林的炊烟，好像海洋上的雾气；晚上，满山遍野闪耀着若明若暗的灯火，好像城里的夜景。

✽村子东西两边，各有一条小溪，缓缓地流着，要是站在高山顶上望去，就像系在村腰上的两条绿色的绸带。

◇华彩语段

✽山上山下，一层层绿色的梯田，把荒山堆砌得像一座座玻璃宝塔。田水反射着阳光，像数不清的银镜，照亮了深山的莽林。依山开出的梯田，最高的竟八十六层，真像是架了云梯上青天。

✽山下，有村落，有农田。田野里一片丰收的景象。村边场上，人们正用脱粒机为玉米脱粒，扬起的玉米，像挂在山间的一道小瀑布。庄稼垛高过了房顶。家家房顶上晒着棒子、柿子、红薯干。村子里还有小小贸易市场，市场上有葱、蒜、青菜、柿子、花生、豆制品，这边一盘油条，那边一叠大饼；那半扇半扇的猪肉，一排一排挂在木架上，有肥有瘦，透着新鲜。这些，都显示出党在农村的经济政策贯彻后，偏僻山乡呈现出的新气象。这岂不是富有山里特色的一幅风俗画吗！

✽我们村子虽算不上依山，却傍着水。悠悠的文川河水绕过村子西边，河水浅浅的，清清的；河底游动的鱼儿，晃动的沙石清晰可见。河堤上长长的一排杨柳，伸长着细长的柔枝，轻轻地随风飘动，一条大路通向村子。村

子边上围着碧绿的树。红砖小楼、白墙农舍，掩映在绿树翠柳丛中。家家户户门前都栽着杨柳，种着各种花草，院子里收拾得干干净净。连村中的水泥路面也像用清清的河水洗过似的，一尘不染。整个村子清洁、明丽！

✻山村景色就在眼前。它别致而整洁，卵石垒墙，碎石铺路，前临河滩，背衬青山，显得清秀幽静。山坡上层层柿树，桔红色的大柿子挂满枝头，好像在这蓝色调的画面上撒上点点朱红，顿觉火红醒目，富有生气。这是一座不大的乡镇，给人的第一印象是桃树繁密。街道两旁，房舍前后，排成排，行成行，婆娑相偎，妖艳相映。正值初春季节，朵朵粉红色的红蕾缀满枝头，争妍斗艳，吐蕊怒放；一簇簇，一树树，宛如红霞飘落、彩雨纷飞；微风吹荡，清香沁脾。

✻秋天一到，果子的芳香扑鼻而来，醉人心脾。且不说黄澄澄的鸭梨挂满了枝头，那红红的苹果像小灯笼似的压弯了枝头。单就那像绿色走廊一样的葡萄架，就够我陶醉的了。啊！可爱迷人的葡萄架啊！多么芳香，幽静！那茂密的枝藤，爬满了架子。在那又大又绿的葡萄叶下，挂着一嘟噜一嘟噜晶莹透明的葡萄，紫黑、溜圆，像一串串紫色的珍珠。顺手一摘，一嘟噜就有一斤重，放在嘴里一咬，汁水像蜜一样甜，一直甜到心里……

✻雪地上已露出一片片黑土地，有一股异香一阵阵飘来。是花香？向周围一看，连个花影儿也没有。是脂粉香？不可能，脂粉香哪似这般淡雅清幽！遍地都是这种香气，喔，太舒服了！这略带着咸咸腥腥的香是任何香都无法比的。这是泥土的清香。

✽爷爷住的屋子旁边有一块菜地，是爷爷亲手开垦出来的。菜地里种了许多蔬菜。每年都能收到很多菜。特别是夏天，菜地里可好看哪！有碧绿碧绿的黄瓜，又嫩又长的扁豆，紫的发亮的茄子，青里透红的西红柿，小灯笼似的青椒，还有胖娃娃般的冬瓜……真像个百花园。

✽奇怪！这广大的麦田，在几小时内，全给这些铁马们吃得精光。不，麦子全给他们割下来了。原来这些铁马，就是割麦机啊！在机前有一个巨大的旋转挡板，把麦秆压住在刀口上，这些阔大的刀，一前一后地很快地转动着，麦秆就这样被割了下来。

✽春天，我和小伙伴们手拉着手唱着歌来到小树林中。柳树姐姐摆着嫩绿的手臂向我们问好。桃花公主、杏花皇后抬起明亮的笑脸向我们致意。小草弟弟们仿佛也知道我们要来，争先恐后地从地里探出脑袋。各种各样的野花姑娘害羞地躲在草丛中，朝我们眨眼。我们先向柳树姐姐要了几缕“秀发”，编织成精致的“草帽”，又向野花姑娘讨了几朵野花，插在“草帽”上。然后，把“草帽”戴在头上，满树林跑，欣赏着春天的美景，呼吸着春天的空气。玩够了，就带上桃花公主、杏花皇后赠给的礼物，一束杏花和一束桃花，高高兴兴地向家走去。

✽到了天高气爽的秋天，从地里钻出淡黄的马鞭笋，给人们又添了一碗小菜。它还要把自己的旧叶换掉，给人们做柴火。有时候它叫秋风把自己的叶子带走，像一个个

美丽的姑娘在那里演“天女散花”，无数“花片”在飞舞。

✽在美丽的田野里，展现出一片翠绿幽美的竹园，当春风还没有融尽残冬余寒时，新笋就悄悄地在地里萌发了，春雨一下，它就破土而出，活像一座座黑里透绿的小塔。鹅黄的新笋从土壤里钻出来，像一只只刚刚出壳的小鸡一样可爱。过三四个星期逐渐变成了一支支墨绿的老笋，接着嫩绿的新竹又长出来了，那三四支老竹围着新竹，像保护自己儿女一样。竹子长到三米多高，它就让春风拂去层层笋衣，逐渐换上一层嫩绿，十分清鲜。

✽小菜园美极啦！茂盛鲜嫩的菜把畦田遮得严严实实：西红柿打嘟噜，豆角架上一串串，辣椒红得像火炭，黄瓜绿得要滴下水来，成群的小蜜蜂，低声哼着小曲儿，对对蝴蝶在金黄的菜花上翩翩起舞……

✽草原上麦子黄了，黎明的风，带着清新的香味，轻轻地从麦梢上滑过。麦杆柔和地摇动起来，沉甸甸的麦穗便一齐无声地摇曳着。随着黎明的到来，麦田上现出一片青光。这青光越来越白了，于是一层稀薄的像纱一样的乳白色的气流，便在麦梢上轻轻地荡漾着。成群的麻雀，愉快地吱吱叫着，穿过这轻薄的气流从麦田上飞过。太阳出来了，白色的气流变成了红色，风继续吹过来，气流飘散了，太阳便以它最初的赤金般的颜色覆盖在麦田上；麦田像海一样，泛起一片金光，涌起无边无际的金色的麦浪。

✽吉普车在公路上高速奔驰。公路两旁那高高的白杨，一株接一株飞快地向后闪去。光秃秃的树冠已能依稀望出淡薄的绿色了。而那一块块、一条条开始返青的麦田，更是现出明显的绿色。田野上，到处都是红旗、人群、车辆、牛羊、拖拉机。

3. 校 园

◇精美词语

校园　校舍　教室　操场　跑道　安静　喧哗　嘈杂
整洁　洁净　干净　欢乐　玩耍　做操

运动场　田径场　绿荫荫　静悄悄

◇常用成语

人声鼎沸　书声琅琅　热闹非凡　垂柳依依　林阴小道
你追我赶　欢声笑语　环境幽雅　清香四溢　景色迷人
生机勃勃　生机盎然　生机勃发　春色满园　洒满阳光
奋发向上　茁壮成长　三五成群　热闹欢腾　款款清歌

◇绝妙句子

✽我们的校园，坐落在青岛八大关嘉峪关路上，这里绿树成荫，景色优美，远离热闹的市区，环境非常幽静。

✽我们走进教室，只见窗口那里不断地滚进浓雾，教室里简直就像一个大蒸笼。

✽春天使大地焕然一新，春天给学校满园春色，春天

给我们欢乐和希望，催促我们奋发向上。

✽校园里有迷人的四季：桃红柳绿的春天，花繁叶茂的夏天，枫红菊香的秋天，松青雪白的冬天。

✽昔日的四座破烂的校舍不翼而飞，崭新的教室和会议室屹立在屏障似的围墙里面；小巧玲珑的传达室守卫在大门西侧。

◇华彩语段

✽春天的校园，富有生机；夏天的校园，充满活力；秋天的校园，挂满笑意；冬天的校园则是另有一番情趣。

✽眼前这宽阔广大的操场，东西长足有三百米，南北宽也有二百米。我脚下走的这条青石甬道，直通向操场后面的四层工字楼，把大操场分成两半，西半边是足球场，白色球门遥遥相望；东半边是篮球场，两对绿色篮球架仰着头立在那里。篮球场旁边还有单双杠、平衡木和沙坑……当我直视前方，看见了操场后面那座用砖和水泥砌成的舞台，我的眼里就禁不住涌满热泪。再看舞台后面，就是学校的四层主楼，东头是实验室、会议室；西头是办公室、图书馆；中间是三十二个教室。一楼正中的那个教室，是我永远值得纪念的地方……主楼后院，沿着校墙盖了一圈青砖平房，是老师的宿舍、食堂、托儿所、学校的仓库，那些地方，都给我留下了永生难忘的记忆。眼下，桃花盛开了，想那大楼后窗前墙根旁的株株桃树，都已经披上了绚丽多姿的粉红色的纱巾，因为我闻到浓郁的花香了。

✽下午，柳教练陪我到体操房去。穿过一条长长的钻天杨树的甬道，对面是青翠如玉的白云山，犹如画屏。一条小溪，从那柳树丛中，传出款款清歌。眼前是一片碧绿的草垛，足球场、篮球场、跑道、沙坑、几栋红色楼房，在阳光的照耀下，组成了一幅色彩绚丽的图景。

✽春天，校园是一片生机勃勃的嫩绿。杨树的新叶圆圆的，前端突出一个小尖角，远远望去，真像一个个绿色的小桃。悬铃木树杈上那鼓圆了的芽苞，也慢慢地伸展开来，像一个个淡紫色的小喇叭。花坛里那毛茸茸的嫩叶摇摆着，仿佛无数只热情的小手，在向你招手致意。各种树儿都穿着绿装，披着融融春光，迎着悠悠春风，翩翩地舞出婆娑的倩影。

✽晨雾渐渐散去，太阳公公从山后边露出了笑脸，宁静的校园顿时欢腾起来。绚丽的朝霞染红了天边，染红了校园。同学们的胸前飘着红领巾，三五成群地来到了校园。操场中间旗杆上的五星红旗迎风飘扬，这是一个充满希望的世界。

✽我们的校园真美。特别是东南角的那个地方更是令人赞叹不绝。那里长着一排清秀挺拔的树木，有玉兰树，有桂花树，还有柏树。春天，万物复苏，这些树吐出了嫩绿的新芽，点缀校园。每逢下课或放学时，许多同学都喜欢到那些树底下去。玉兰树开花时，它那洁白如玉的花朵挂满了枝头。一阵微风吹来，玉兰花飘满了整个校园。那清香是多么令人陶醉啊！

状物篇

状物篇

一、植物

1. 花

◇精美词语

花朵　花卉　花瓣　花蕊　花粉　花蕾　鲜花　野花
怒放　含苞　吐蕊　盛开　绽开

◇常用成语

花团锦簇　花香醉人　花红果香　花朵硕大　花繁叶茂
花枝招展　花涛香海　百花盛开　百花齐放　百花凋谢
花红柳绿　花影摇曳　花姿俊美　花叶扶疏　花色迷人
一枝独秀　色彩斑斓　姹紫嫣红　繁花似锦　溢彩流光
朴实无华　亭亭玉立　冰心玉骨　淡雅清新　端庄典雅
奇形异状　奇香四溢　娇艳多姿　琼枝玉叶　艳压群芳

◇绝妙句子

✽夏天，毒辣辣的太阳花在烈日的照耀下茁壮成长，翠绿的叶子像涂上了一层油。

✽月季红艳艳的花儿在枝头昂首怒放，颜色是那么浓，那么纯，没有一点杂色，简直像一团燃烧的火焰。

✽兰花的一脉脉绿茎上长出了一个个花骨朵，鲜嫩嫩、油亮亮的，在阳光的照耀下，就像点点繁星，闪烁着银白色的光芒。

✽在鲜亮挺拔的绿叶陪衬下，那大个的含苞待放的花骨朵，有如一支巨大的神笔，雄姿勃勃，皎洁饱满，光彩夺目；它那紫红色的外装，仿佛羞羞答答，不肯立刻绽开，只悄然露出丝丝洁白的内衣。

✽满塘的荷花荷叶，远远望去就像碧波上荡着点点五颜六色的帆，煞是好看。

✽每逢秋风来临，露水成霜时，树叶脱落了，群花萎缩了，惟有菊花迎风而立，傲霜怒放，五彩缤纷，千姿百态。

✽那一丛丛、一簇簇挺拔秀丽的桂花，显得格外高雅、华贵，远远望去，像是在绿色的绣花布上点缀着一粒粒金子，又像是一个个小娃娃扒开绿叶笑眯眯地往外瞧。

✽一簇簇丁香花，紫色的显得那么华贵，白色的是那样洁白无瑕，它们相互簇拥着，在微风吹动下，多像一个花的摇篮啊！

✽阳春三月，满树的桃花开得火红火红，一朵朵，一团团，堆在一起，似天上的霞光，像孩子的笑脸。

✽三月的桃花粉红艳丽，吸引了多少游人，而校园路边的李花却使我不忍离去。五个白色的小花瓣合成了一个小脸蛋，花瓣那许多纤细的花蕊，顶着一粒粒淡黄色的小点点。三四朵花围成小圈，在春风的吹拂下起伏，真像一群天真活泼的孩子羞涩地跳着“圆舞曲”……李花，它没有用艳丽的色彩来显示生命的欢乐，而是用洁白的心灵来报答春秋。

✽春天远看夹竹桃，繁花盛开，有的火红，有的枯黄，有的洁白。一丛丛夹竹桃上像撒满珍珠、玛瑙和白玉，十分美丽。秋天，西风萧瑟，娇气的树林纷纷落叶了。但是，一排排夹竹桃顶风傲立，那墨绿的枝叶互相交叉，好像绿色的卫士手挽手屹立在大道两旁。

✽五月沙枣树开花了，沙枣花并不大，走近一看，沙枣枝条上一排排，一串串，密密地挂满那金黄色的小花朵。人们在好远的地方，便可闻到一阵阵扑鼻的清香，如果折几枝插进瓶里，好几天香气不散，令人心醉。

✽这菊花从一人多高的花架上喷涌而出，闪着一片辉煌夺目的亮点点儿，一直泻到地上。活像一枝艳丽动人的凤尾，一条给舞台的灯光照得烁烁发光的长裙，一道瀑布——一道静止、无声、散着浓香的瀑布，而且无拘无束，仿佛女孩子们洗过的头发，随随便便披散下来。那些缀满花朵的修长的枝条，纷乱地穿插垂落，带着一种山林气息和野味儿；在花的世界里，惟有凤尾菊才有这样奇特的境界。

✽荞麦开始开花啦！田野好像铺上了一条白色的地毯。不过这条地毯是活的，而且散发出这么好的香味。每一朵小花上都落着蜜蜂。地毯在嗡嗡响——这是蜜蜂在嗡嗡叫。一只毛茸茸的大野蜂落到了花上。麦秆颤抖起来，弯了下去，野蜂没抓住，滑了下来，气呼呼地嗡嗡叫起来。

✽时隔一夜，那几朵月季花便竞相开放了。那花朴素大方，花瓣层层叠叠，微微下卷，在阳光的照耀下，花瓣犹如涂上了一层明油，光泽而明亮。整株花昂首挺胸，如同打了胜仗的将军。它贪婪地吮吸着春天的甘露，享受着温馨阳光的沐浴。花瓣的中间有金黄色的花蕊，花蕊顶端粘着花粉，散发出阵阵醉人的芳香，引来一群蜜蜂。蜜蜂“嗡嗡”地奔忙劳碌，伴着可爱的月季花，美化着我家宁静的小院。风吹动着，月季花随风摇曳。不管是谁，当你走进我家的小院，经过它的身旁时，都会感到它在朝着你点头微笑；当你停下脚步，欣赏它的时候，就会觉得那花香扑面而来，沁人心脾。当人们啧啧赞叹它时，我的心里呀，简直是乐开了花。

✽丁香花虽然没有玫瑰、牡丹那样艳丽的色彩与婀娜

的身姿，然而却有着胜似它们的浓郁的芳香。每年春季，丁香一开，满院都弥漫着沁人心脾的幽香，傍晚香气更浓。它的味儿是甜的，闭上眼睛深深吸一口，就好像到了梦一样的香海中。风儿吹，那幽香被送得很远很远……

✽每年四月中旬，苹果花儿从那嫩绿的叶丛中就露出眉眼来了。一开始，还是红红的，花骨朵儿像戴着一顶鲜红的帽子。不几天，它抖了抖身子，就变成粉红色了，像是穿上了一件粉红色的衣裳，披上了白色而略微带红的面纱。这些花儿散发出一阵阵的香味，可醉人哩。苹果花不像枣花那样星星点点，而是一簇一簇的，远远地望去，像雪山似的。这些花儿同墨绿的叶儿交相辉映，更显得娇艳可爱。那成群结对的蜜蜂、花蝴蝶整天地迷恋在这里，翩翩起舞，不肯离开。

✽盛夏来临，各种各样的花竞相开放，它们借着太阳的光辉，向人们展示自己美丽的色彩。可是粉豆花却无意与他们争芳斗艳。你看，它那花骨朵，状如小火把，好像要为人们照明道路。傍晚，阳光黯淡了，群花慢慢地收敛了笑脸，无精打采的，可粉豆花却迎着晚霞盛开了，红的似火，粉的似霞，黄的似金，还有黄红相间的……无论是哪种颜色，都显得神采奕奕，再加上那白嫩的花蕊，美极了。

✽红彤彤的木棉花在枝头怒放，像一团团火球在顶上燃烧。木棉花，把南方的绿水青山点缀得斑斓多彩，它红得那么稳重、庄严，它红得是那么鲜艳夺目，难怪人们又把它叫做“英雄花”。

✲✲菜菊的花很漂亮。花瓣像紫如意一样，一层层、一圈圈围着花蕊有秩序地排列着，花蕊上沾满了金黄色的小绒球，还不时散发着宜人的清香。再看整个花坛，有的才展出几个瓣，有的大开着，有的“噘”着个小嘴迟迟不肯“笑”出来，它们在叶子的簇拥下，显得更加娇嫩，更加鲜艳！

✲每当梅花那黄色和暗紫色的花瓣向人们绽开笑脸，一簇簇的花朵在寒风中摇曳，散发出阵阵清香时，就会令人心旷神怡。“梅花香自苦寒来”，吹拂梅花的不是轻柔如柳的春风，而是凛冽刺骨的寒风；滋润它的不是清凉柔和的雨水，而是寒冰冷雪；照耀它的不是和煦的阳光，而是严冬里的一缕残阳。梅花是经过与严寒风雪做斗争才绽开美丽的花朵。

✲时间一天天过去，喇叭花开得越来越多，可漂亮啦，就像一个个小喇叭，有紫红的、有蓝的、有白的、有红中泛白的……稠密的绿叶衬着争奇斗艳的喇叭花，远远看去好像挂着一匹美丽的花布。屋檐上也开了花，有一条藤还悄悄地把几朵花送到了邻居家的院子里。

✲刺梅花是扁圆形的，像大个的蜜桔。这些刺梅花有的已经傲然开放了，有的含苞未放，有的已经展开了很多花瓣。它的花朵有好几十层。多得数不清的花瓣，一个包着一个，从里面向外挤着长。在微风中，刺梅花向你点着头，好像一个小朋友正张着嘴朝你笑呢！

✽常言道，红花虽好，还须绿叶相扶。月季花的叶子刚长出来时是嫩红色的，经过太阳的照射才逐渐变成了绿色，绿叶相映，把月季花衬托得娇滴滴、水灵灵的。月季花的枝干十分特殊，长满了尖利的小刺，我想，这可能是它自卫的武器吧！

✽米兰叶子的形状，跟公园里种植的冬青差不多，近似椭圆形，中间还有一道不深不浅的小沟。这些叶子有的肥厚浓绿，有的娇嫩青翠，都闪着亮光。米兰的花非常奇特，像葡萄那样一串串的。中间有一根嫩绿的主枝，大约有一寸来长。主枝上分出无数的小枝，每个小枝上都长了一个小黄球，像小米粒一样。“米兰”的名称，可能就是由此得来的吧。你可别小看这些朴素得像小米粒一样的花朵，它们的香气却非常浓郁。

✽春季，葱兰发出了幼芽，幼芽是那么细小，那么嫩绿，仿佛一碰就要断。它不像杨柳那柔软的枝条几乎可以垂到地面，它只有一个念头，“往上蹿，往上长！”当风吹来时，垂柳摇动着枝条，可葱兰却一动不动地挺立在风中。风伯伯见葱兰这么顽强，就要雨婆婆给葱兰“洗个澡”。每当“洗完澡”以后，葱兰就把小叶子抬得更高了。

✽雪白雪白的梨花，那么纯净，又那么的娇丽，它那小小的嫩黄的叶芽儿，在春风里微微地婆娑着。那一簇一簇的花朵，就在这叶芽中间开放着，嫩黄衬托着雪白，非常协调，又特别醒目。如果一株一株地看，它就像地下冒出来的一股又一股的喷泉，那花朵，就像是雪白的浪花；如果站在远处眺望，它就像明灿灿的珍珠缀成的项链，挂

在这新兴的古城脖颈上。

✽冬天，在暖和的花房中，月季花竞相开放。红的像火，粉的像霞，白的像云。还有的和叶子一样的颜色，翠绿欲滴，生气勃勃，别有特色，像一块翡翠雕刻而成，枝、花、叶浑然一体。它们你挤我，我挤你，好像只有这样才能表现出它们的友好关系，给寒冷的冬天增添了几分暖意。

2. 草

◇精美词语

绿草 芳草 寸草 枯草 柔草 劲草 小草 甘草
青草 幼草 荒草 草席 草地 草棚 草丛 草原
枯黄 细嫩 摇摆 摇曳 草木 娇嫩 嫩绿 茵茵
香草 野草 嫩草 碧草 春草 杂草 茅草 水草
草林 萋萋 草茵 草色 萎草 残草 繁草 草园

青茵茵 绿油油 毛茸茸 毛乎乎 软绵绵 绿茸茸
绿茵茵 黄灿灿 黄澄澄 绿汪汪 青幽幽 绿莹莹
一簇簇 一丛丛 一团团

◇常用成语

万物复苏 绿草如茵 芳草萋萋 一碧千里 生机盎然
绿遍天涯 绿满人间 蓬勃旺盛 铺青迭翠 绿草如丝
绿草茸茸 杂草丛生 野草遍地 草色青青 野草丛生
生机勃勃 随风摇曳 水草丰美 水草繁茂 绿如碧毯

荒草连连	草浪起伏	绿草如毡	毒草漫延	荆棘丛生
草原无际	争荣竞秀	枯黄遍野	天涯芳草	草翠林绿
百草凋零	风吹草低	草枯叶黄	草肥羊壮	草木欣荣
漫山遍野	绿草凄凄	衰草枯颜	枯草逢春	草海无涯

◇绝妙句子

✽一道边，小草偷偷地钻出地面，慌慌忙忙地伸叶爬蔓。

✽冰雪刚刚融化，小草就像一群活泼可爱的孩子，从大地母亲的怀抱里调皮地伸出一个个嫩绿的小脑袋，那么细弱，那么娇小，但它们不畏严寒，迎着春风跳起欢乐的舞。

✽一到夏天，蒿草长没大人的腰了，长没了我的头顶了，黄狗进去，连个影也看不见了。

✽凛冽的寒风把可怕的冬天请来了，小草的身躯被寒风吹萎缩了，但是，她的根部却像一条条蚯蚓似的，深深地钻进泥土里。

✽风吼着卷来，雨箭一样射来，小草决不向狂风暴雨低头、低腰，迎着暴风雨，不屈不挠地俯伏着。

✽含羞草发芽了，长出了幼苗。那幼苗又娇又嫩，被风一吹，摇摇摆摆，像个刚学走路的小姑娘。

✽沙岗上长满了茂密的茅草，已是初秋时节，草势少了锋芒，开始枯衰冷黄，在风中更显得柔软无力。

✽秋天，野草被风吹得渐渐变黄，草地变成了金色的海洋。

✽小草给春天增添了勃勃生机，增添了新的光彩，不管是在贫瘠的土地上，还是在高山上、石缝中，都能见到它翠绿的身影。

✽春天，小草从那枯黄、死去的母体旁钻了出来，嫩绿嫩绿的，又短又细，像是几根很短的绿丝线簇成，仿佛那么弱不禁风，一口气都会吹倒一样。

◇华彩语段

✽七月的草原，早晨空气格外清新，我缠着父亲在草原上漫步。幽幽的草香迎面拂来。红艳艳的朝阳正从地平线上冉冉升起，为辽阔的草原镀上一层金色。草叶上的露珠，像镶在翡翠中的珍珠，闪着五颜六色的光华。我看到草丛中夹着许多粉红色、白色、黄色或是蓝色的不知名的花，把草原装扮得十分美丽。

✽青草从根的地方起都是发了黑的浓绿颜色，草尖在太阳底下闪着金属一样的光亮。到处长满了乱蓬蓬的，还没有成熟的羽茅草；蔓生的常春藤盘旋着，从羽茅草的顶上爬过；速生草的结了籽的小脑袋，拼命地往有太阳的地方伸出去。有些地方生着矮小的马鞭草。中间稀疏地夹着些马尾草；再走过去又是一大片羽茅草，像湖潮一样铺展开去，当中夹杂着各种野花，燕麦、黄山芥、大戟和陈葛

——这是一种喜欢孤独的草，在它生长的地方一定要把其余的草都给驱逐掉。

✲雨落在小草上，看，草儿轻轻地在微风中摆动，雨珠顺着它那翠绿的茎滚下来，一滴一滴一下子钻到土里，又一滴一滴钻到另一棵小草的嘴里，找不着了。

✲周围是一片片野草，虽然已是秋天，依然碧绿碧绿的。而在崖坎水边长的都是苦胆草，开着金黄金黄的小花，它虽然比其它花儿开得迟，却装点了秋色，有着独特的芬芳，格外招人喜欢。

✲小草的根深深地扎进土层，伸向四面八方，可谓根深蒂固、脚踏实地。“疾风知劲草”，小草承受着各种考验。当狂风夹着暴雨疯狂地冲下来时，盆花早已搬进屋里，旷野上的花儿们也急急低下头倚在绿叶上，而小草却无遮盖，一片片，一丛丛傲立在原野上。风吼着卷来，雨箭一样射来，小草决不向狂风暴雨低头、折腰，迎着暴风雨，不屈不挠地俯伏着。暴风雨终于弱了，消失了，小草更加郁郁葱葱，生机勃勃。大自然赋予了它们多么顽强的生命力啊！

3．树　木

◇精美词语

大树　小树　树苗　灌木　林木　果树　杂树　树木
树枝　树皮　树叶　年轮　挺拔　苍劲　屹立　巍然

俊秀 挺立 挺直 挺秀 茂盛 繁茂 苍翠 葱翠
树丛 树林 森林 山林 树冠 树根 树梢 树干
青绿 残枝 枯枝 金枝 败叶 林海 林原 原林
苍老 葱茏 青翠 笔直 粗壮 低重 倒垂 繁盛

◇常用成语

郁郁葱葱 苍翠挺拔 秀丽多姿 遮天蔽日 茂盛如蓬
葱绿苍翠 翠如碧玉 晶莹闪亮 丛林尽染 漫漫碧透
浓荫匝地 荫翳蔽日 乔松疏竹 挺拔高大 高大伟岸
顶天立地 古木参天 茂林修竹 垂柳依依 青松翠竹
盘根错节 树木繁茂 树阴浓郁 浓郁苍劲 一派生机
傲然屹立 直撑华天 松涛呼鸣 竹树环合 俊俏挺拔
重重叠叠 哗哗作响 娇嫩苍翠 翠竹漫舞 柳絮飞扬

◇绝妙句子

✽每到春天，老杨树先开出毛毛虫似的花。

✽木瓜树沿着竹篱和土墙成行地生长：这亚热带的美丽的果树，高大像梧桐，硬直的树茎像棕榈树，树梢上一大丛绿叶像蒲扇，结着累累的果实硕大如仙桃。

✽冬天，花凋谢了，草枯萎了，许多树的叶子都落尽了，松树那像针一样的叶子却在寒风中摆动着，好像在说：“我们不怕冷！”

✽放假了，同学们离开了校园，只有那一排排的小杨

树像卫士一样，护卫着学校。

✲细雨如丝，老杨树尽情吮吸着春天的甘露，光秃秃的枝头上吐出了密密麻麻的花骨朵来。

✲那柔嫩纤细的枝条在微风中摇曳，好像两位寿翁捋着长胡子，凝视着东方将升的旭日。

✲乘船在太湖里游览，只见湖边冈峦起伏的洞庭山上，满城满城金果累累的橘树，像一条条丹绸在飘拂，像一片片火烧云在飞腾。

✲一棵棵松树，褐色的树干，足有碗口粗，笔直笔直的。满树的松叶绿得可爱，活像一把张开的绿绒大伞，风一吹，轻轻摇曳。

✲惟有松树不畏严寒，依然苍翠地立在白皑皑的雪地里，像是有意在蔑视春天。

✲这些古松无不蓊郁苍翠，铁杆虬枝，各尽其态，表现出鲜明的个性和独特的风采。

✲漫山遍野的青松，像是一片绿色的海洋。在绿色的海洋里，一株株年轻的松树碧绿滴翠，亭亭向上。

✲月光下，这棵古槐叶子是那样葱茏，树干是那样粗壮，远远望去，真像一位手执利剑的勇士，又像一个顶天立地的巨人。

✽这条小路的两旁，种着几排茁壮、秀拔的小杨树，它们一个个昂首挺胸，就像军容威武的战士那样，整整齐齐地守卫在路旁。

✽那碧绿的、满河沿的柳林拖着长长的枝条，像美丽的秀发，掩着镜子般的潭水。

✽到了阳春三月，白杨卸去了冬天枯萎的服装，贪婪地吮吸着春天的甘露，吐出了嫩绿的枝叶。

✽钻天杨的主干挺直，枝枝相抱，它不嫌黄土高原的贫瘠，不畏西北风雪的严寒，生命旺盛，团结向上。

✽桑树，你没有柳树那样婀娜的枝条，也没有白桦那样高大的躯干。一身粗糙的皮肤，是你含辛茹苦的象征；茂密的叶子，是你勇于奉献的结果。

✽你瞧，西面山洼里那一片柿树，红得那么好看，简直像一片火似的，红得耀眼。

✽秋天，那株小柿树的叶子有的已经发红，它们和绿叶相间，十分好看。枝头上挂满黄澄澄的小柿子，有的独坠枝头，有的三五成群地聚在一起，显得格外亲热。

✽远处柳树垂下柔软如丝的枝条，在春风的吹动下，远远望去像一团团随风飘动的烟。

✽围着城镇多是高大的芒果树，叶子密得不透缝，热风一吹，好像一片翻腾起伏的绿云。

✽山上的枫树，在前些日子里，满树全是花般的红叶，全是火焰般在燃烧的红叶，忽地全都飘落了。

✽三月阳春，香椿芽开始露头了，一个个小芽头挨着头，就像是多年不见的老朋友在亲吻呢！

✽大合欢树那弯弯曲曲的树干，就像一位驼背的老公公；那葱绿的树冠，就像一顶绿色的大草帽，戴在驼背老公公的头上，为他遮挡着烈日。

✽阳春三月，百花吐艳，银杏树越发富有生气，它悄悄地披上了一层绿纱。那刚刚舒展开的扇形小叶子，显得那么嫩、那么绿，仿佛一夜春风把它们吹开似的。

✽梧桐树的叶子黄了，一片片飘下来，像美丽的蝴蝶在空中飞舞。

✽冬天，可怕的西北风吹落了许多树的叶子，可是这株橙子树却坚强地挺立在那里，顽强地同风雪搏斗，永远保持蓬勃的绿色，等待新春的到来。

✽这棵槐树粗壮高大，主干得由六个人拉起手来抱，才能抱过来。它的叶子碧绿碧绿的，非常茂盛，树枝像剑一样直插云霄。

✽铁树个头虽然不够高大，可是它那壮实的枝干，那又尖又硬的绿叶，和那寻常人难得一见的花朵，都表明它具有钢铁一样的性格。

✽春天到了，下了几阵蒙蒙细雨，垂柳树伸出了嫩绿的叶，贪婪地吮吸着春天的乳汁。“不知细叶谁裁出，二月春风似剪刀。”这正是垂柳的写照。

✽夏日，一张树叶就是一只绿色的巴掌，托着一轮骄阳。一棵树就是一把漂亮的遮阳伞，清风习习。

✽一场春雨下过，枣树尽情地吮吸着这春天的甘露，在明媚的春光下孕育着新的生命力，那一片片嫩绿的新叶在阳光下舒展着，闪着绿光，一派生机。

✽凛冽的寒风像一把无形的铁钳在撕扭着老枣树的身躯，这时它宁折不屈的精神体现出来了——宁愿把树枝折断，也不愿弯曲它那坚实的身躯。

✽微风起来时，老榆树浓浓碧碧的枝叶随风摇摆，金灿灿的阳光透过叶缝洒下来，在地面上便出现了无数斑斑驳驳的光点。

✽冬天，凛冽的寒风刮着，松树却像巨人似的挺立着，把寒风卷起的沙粒挡住，与严寒进行搏斗。

✽春天，桃树抽出了嫩绿的幼芽，略带红色，还没等完全变绿，又绽开了一簇簇粉红色的小花，远远望去，像

是天空中的一片彩霞。

✽晚上，树叶沙沙低语，像老奶奶唱的催眠曲，使我很快进入香甜的梦乡。

✽有人赞美四季常青的松柏，可松柏没有老榆树那四季不同的丰采；有人赞美婀娜多姿的垂柳，可垂柳没有老榆树那钢铁般的坚实性格。

✽一场春雨过后，竹林吮吸着滋润的甘露，孕育了好多“胖娃娃”。它们探出了黄花花的小脑袋，向大地展示着自己旺盛的生命力。

◇华彩语段

✽严冬，梧桐美丽的衣服，被狠心的风婆婆夺去了，然而它没有皱眉叹气，依然挺着粗悍的枝干，与风婆婆搏斗，与冷妖怪抗争。它顽强的精神，终于感动了雪爷爷，雪爷爷慷慨地给它一床银被。梧桐树得到了安慰，甜甜地睡了。

✽沙枣树，是我们沙漠地区很普通的一种树，要论模样，它并不漂亮：深褐色的树皮，乌绿色的叶子，既不像参天白杨那么茁壮、挺拔，更不如垂柳那样亭亭玉立，婀娜多姿。但是，它朴实无华，又耐瘠薄。当狂风铺天盖地而来时，它们手拉手，肩并肩，组成一道铜墙铁壁，使一望无际的麦苗免受袭击，给塞外披上一层碧绿的新装。

✽夏天过去了，秋妈妈忙着给树木披上了金装。登高望去，犹如一片茫茫的金海。秋风扫过，树叶纷纷落下，有的像蝴蝶翩翩起舞，有的像黄莺展翅飞翔，还有的像舞蹈演员那样轻盈地旋转。地上满是落叶，像铺了一层厚厚的金毯。

✻那些种在路边的橘树，像个撒娇的少女似的，懒懒地把长臂似的枝条伸在路上。枝条上结满了早红的柑橘，走路稍不注意撞上它们，立即晃动起来，响起悦耳的、轻音乐似的声音，一阵阵异常馥郁芬芳也随之扑入心脾。

✻从温泉上山，一路所见有苍翠的峰峦，褐色的峭壁等等，而最引人注目的还是那一株株高大的丹枫。沿途只见峭壁间挺立着棵棵丹枫，枝繁叶茂，犹如覆盖着朵朵红云。而散生在常绿林中的枫树，有的高大挺立，如旌旗飘扬，有的纤细娟秀，似鲜花朵朵，愈发显得鲜艳可爱，风韵动人。

✻走进枫林，看那树身不但粗壮，而且高大，高高的枝干上伸出无数枝杈。那片片红叶在微风中轻轻地抖动，不时飘飘悠悠地落下来，给山路铺上了一条红色的地毯。踩上去感到那么柔软，那么舒服，我轻轻拾起一片枫叶，那红彤彤的叶面上布着清晰的叶脉，边缘上长出均匀的锯齿。样子虽然像张开五指的小手，但颜色却像一团燃烧的火焰。

✻杜仲树在我的家乡到处可见，是一种极为平常的树。它们有的生长在肥沃的田野里，好像覆盖大地的绿毯；有的生长在蜿蜒清澈的小河边，为小河增添了幽静的

浓荫，有的生长在房前屋后，形成一层碧绿的帷帐……杜仲树啊，你生长在家乡的每一个角落，为家乡增添了翠玉般的色彩。

✽大雪纷飞了，老榆树像一位巨人，站在风雪中，傲然挺立。鹅毛般的大雪，落在它的头上，西北风像一头猛狮向它扑来，仿佛要吃掉老榆树，一次、两次、三次……老榆树用它那顽强的意志，战胜暴风雨，它多么像战斗在云南边防上的英雄啊！

✽烈日炎炎的夏姑娘来到了，爱唠叨的蝉躲在浓密的叶丛中扯着嗓子“好热好热”叫个不停。此时，桂花树枝叶繁茂。远远望去，好似一朵朵美丽的绿云，又像姑娘们喜爱的绿头巾。下课了，同学们在桂花树浓密绿阴下自由自在地玩耍嬉戏。在这凉爽的环境里，他们显得多么高兴、快乐。

✽远看，山洼里，山坡上，千株万株的桔树，枝干苍劲，迎着飒飒晨风，傲然挺立。金黄的桔子沉甸甸地坠在枝头上，好似迷雾里的火球，又像是顽皮的小孩子，扒开绿叶，露出圆圆的小脸，一个劲地向你点头微笑。近看，棵棵桔树，像撑开的大伞，树干粗壮而笔直，树叶浓密，葱郁茂盛，成片成林。它们在晨风中轻轻地摆动着，好似站着队在欢迎你的来到。

✽春暖花开，万木争春。桂花树那又粗又黑长满青苔的枝干上也悄悄地长出了许多嫩芽，那颜色真绿得可爱。随着时间的流逝，小芽在阳光雨露的滋润下慢慢地长大了，抽出几片绿绿的小叶。晚春时分，小叶长大了，也显得更绿了。

✽我爱翠竹，总喜欢到竹林中去读书或玩耍。仲春的一个早晨，我又一次走进竹林，但那参天的翠竹，巨人一般耸立着，枝叶搭着枝叶，携手并肩，共同沐浴着春天的阳光，吮吸着春天的朝露。一阵山风吹过，翠绿的枝叶便发出“沙沙”的声响，伴着鸟儿的歌唱。我的目光绕过竹林，落在那片在晨风中微微摇曳着的美丽的花朵上。那一朵朵娇嫩的鲜花争芳斗艳，似乎在炫耀自己的美丽和芬芳，也似乎在向竹林投来轻蔑的目光。而那翠竹只是挺直身躯，指向蓝天，默默地向上努力生长着。我情不自禁地走进竹林，抚摩着那一株株朴实挺拔的翠竹，陷入了深深的思索中……

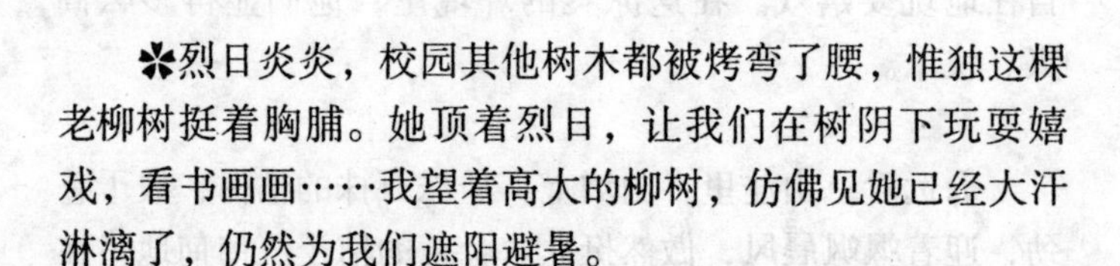

✽烈日炎炎，校园其他树木都被烤弯了腰，惟独这棵老柳树挺着胸脯。她顶着烈日，让我们在树阴下玩耍嬉戏，看书画画……我望着高大的柳树，仿佛见她已经大汗淋漓了，仍然为我们遮阳避暑。

✽去年，学校买了两根爬竿，就绑在这棵老柳树上。从此，同学们每天都在这里锻炼身体，一阵微风吹来，枝条“哗哗”作响，啊，老柳树笑了，笑得那么开心，似乎在说：“练吧练吧，从小锻炼好身体，将来做祖国的栋梁之材。”

✽在逐渐变白的天光中，我们惊讶这棵榕树长得这样奇伟，千万气根落地又长成树根，哪是主干，哪是支干，

谁也分不清。只见枝干交叉密织，简直成了一张无限大的树网。上覆浓荫，下托绿水，丝毫不受外界的侵扰。

✲屹立于村前的樟树有上百年的寿命。它枝叶繁茂，那四季浓绿的树冠张开的巨网，覆盖在村子的上空。那粗壮的树枝盘绕弯曲，像一条条待飞的长龙。木桶般的树身虽然内中空了，却铮铮似铁。树底下盘根错节的树根深深地扎在泥土里，有的还隆起在地面上。褐色的树皮犹如战士身上的盔甲，使得这棵苍老的大树虎虎有生气而威武雄壮。

✲操场中央有一棵大杨树，笔直、粗壮的树干高过楼顶。我们仰起头来，才能看见它那像把大伞似的树冠。这棵杨树特别显眼。这不仅因为它高大，而且它有柔和的银白色的枝干，茂密的绿缎子似的枝叶。比起操场周围的槐树和松树来，它尤显光彩夺目。大杨树静静地站在操场上，好像一位饱经风霜、慈祥和蔼的老人，低头含笑，兴致很浓地陪伴我们唱歌跳舞做游戏。一阵风吹过树梢，树叶哗啦作响，多么像老人发出的爽朗笑声啊！

✲春天，梧桐树抽出新芽。那芽绿得那么艳，那么鲜，那么可爱，它无声地向我们传递春天的信息。在那甘甜的春雨滋润下，芽渐渐长成嫩绿的叶片。叶片绿得像翡翠似的，一阵春风吹过，满树的小叶片颤动起来，非常好看。这时，梧桐树犹如戴上一顶美丽的绿色的冠冕。

✲初夏，梧桐树上一个个含苞待放的花的花蕾在枝头上张着淡紫色的嘴，开始笑啦！它们把一张张蓝蓝的脸蛋露出来，真像顽皮的小孩子。没过多久，满树的花都开了。它们开得那么可爱，像无数淡紫的喇叭挂在树上。

✽每当我走进校门，就会看见一棵梧桐树。梧桐树又高又大，高得跟我们学校的三层楼差不多，大得一个人怎么也抱不过来，它的树干不太直，是银白色的，上面有许多“伤疤”。树枝有粗有细，有长有短，有的往上翘，有的往下垂，有的是平展的，多得数也数不清。每根树杈上都长着许多嫩绿的新叶子。春风一吹，一张张树叶像一只只摇摇摆摆正学走路的小鸭子的脚。我站在这棵梧桐树下抬头一看，梧桐树像一把绿绒大伞。下小雨了，我只要在梧桐树下，就不会被雨淋湿。炎热的夏天，梧桐树能挡住太阳的万道热箭。课间，我和伙伴就可在梧桐树下面尽情玩耍。梧桐树多像一位忠实尽职的卫士，不管刮风下雨，也不管严寒酷暑总是把学校看得好好的。

✽在一棵高大的银杏树的绿阴下，放着两盆铁树。其中一盆小一些，花已快谢了。另一盆铁树正开放着灿烂的鲜花。据说这棵铁树已经二百多岁了。先前开过两次花，这是第三次开花。树高约二米左右。铁锈色的茎干上布满鱼鳞一样的斑纹，在茎的下方，还有一个很深的洞。不知道是被刀砍的，还是被虫蛀的。这些年来它都默默地忍受着痛苦，顽强地生活下来，并且把美献给人们。铁树的叶子集中在茎的顶部，围着花朵向四周伸展开来，好像一只正在开屏的孔雀。它那翡翠般的绿叶，呈羽毛状，有一中肋。线状的裂片就长在它的两侧，又扁又平，对生着，前端又尖又硬，十分锐利。铁树的花长在茎的顶端，由无数鳞片状雄蕊组成，大约有三四十公分高。花瓣围着柱头一

层一层叠上去，像一棵很大的玉米棒，又像座小巧玲珑的金色宝塔。我们靠近它，用鼻子仔细嗅嗅，却嗅不到什么香味。但是，想用手摸一摸，那钢针般的叶子就立刻会提醒你：“请勿动手！”

✲秋去冬来，桃树的叶子枯了，落了，只剩下光秃秃的树枝。仔细一看，你会发现一些嫩芽藏在树皮里面，等待来春，从这里孕育出新的枝叶，结出更多的果实。

✲天渐渐的热了，榕树也变得枝叶繁茂。正处在这旺盛时期的榕树，伸出巨大的手臂，慈母般的环抱着奶奶家的窗口。我们也像它的孩子似的扑到榕树的怀里，感到无比亲昵。榕树，我多么想叫您一声：榕树妈妈呀！亲爱的榕树妈妈，您还记得吗？当我们这些不懂事的孩子在您怀里做游戏。你追我赶，蹦蹦跳跳时，当我们在您怀里因扑蝴蝶而摔了个四脚朝天，或摔到泥坑里，溅了一身的泥水时，当我们摇着扇子，悠闲地在您怀里乘凉或散步时，您看见我们在快活地玩耍，看见我们笑弯的眉，咧开的嘴，您也露出了慈祥的笑容，好像也分享到了我们的喜悦。在晴朗的夏夜里，您轻轻地扇动着一把把可爱的小桃扇，悄悄地陪伴我们度过一个个宁静凉爽的夏夜。

✲那是一片开阔的茶场，绿色主宰着一切。在层层绿色的波浪中，点缀着彩色的斑点。我头一次拿着竹篓，穿行在一行行墨绿色的茶树丛中，时而那高出人头的茶树将我隐没，时而又被齐腰的绿叶托出……我仿佛飘游在绿色海洋之中，我感到一个崭新的绿色的世界，身处绿中，眼观绿树，手采绿茶，耳听绿树发出的沙沙声，我几乎相信

我闻到了绿色的气味。

✽紫竹，顾名思义，就是紫色的竹子。它的叶子又宽又长，中间深深地凹下去，像一叶小舟。紫竹茎一节一节的，花骨朵就长在顶端节上。紫竹长了小骨朵，一个个簇新嫩绿，逗人喜爱。没过几天，紫竹开花了，每朵花儿有三个花瓣，是淡红色的，中间有六根紫色的花蕊儿。一朵朵小花散发着一阵阵幽香，沁人心脾。

✽我最喜欢的是放在窗台上的那盆文竹。它长得是那样潇洒，每根细茎上长的不是一片一片的叶子，而是许许多多纤细的小刺，就像一根根绒乎乎的兔毛，只不过它是苍翠碧绿的。远看由那些小细刺和细茎组成的一片一片平展展的叶子，就像一块块碧绿的小绒毯。近看，那些叶子又像是在夏天特别受人们欢迎的扇子。文竹从茎到叶子都是绿色的，显得十分清新雅致。文竹的样子很像松树，就好像有人把松树变小了栽到花盆里似的。

4. 瓜果、蔬菜

◇精美词语

瓜果 瓜子 瓜壳 瓜藤 菜叶 菜花 菜根 可口
诱人 松脆 芬芳 清香

白嫩嫩 白花花 滑溜溜 红艳艳 绿油油 甜津津
红彤彤 黄澄澄 香喷喷 甜滋滋 沉甸甸 黄灿灿
圆乎乎 胖墩墩 水灵灵 亮闪闪 香丝丝

◇常用成语

果实饱满　果甜瓜香　果肥汁甜　果园飘香　硕果满园
硕果累累　红果满枝　藕断丝连　又苦又涩　半红半白
瓜甜子少　瓜菜成畦　果实累累　果实肥硕　果香诱人
披红抹绿　鲜嫩水灵　肥嫩硕大　粒粒珍珠　细腻柔软

◇绝妙句子

✻秋天，硕大的苹果挂满枝头，压弯了树枝，像捉迷藏的孩子露出了笑脸。

✻青青的杏儿，轻轻咬一下，会酸得你直流口水；等到变黄变红，就会软软的，甜甜的，略有点酸味儿，咬一口，直沁人五脏六腑，使人陶醉，直叫人吃不够。

✻秋，在葡萄架里，傻睡着，睡出一嘟噜一嘟噜汗粒子，浓缩成压弯架的一串串笑。

✻藕的切口有着缕缕藕丝，似春蚕吐出的银丝一般，这使我不禁想起了“藕断丝连”这个成语来。

✻那桃园的确很大，一眼望不到边；一排排矮矮的桃树上，绿叶间挂满了扁扁的桃子，像夏夜的星星一样多。

✻蜜桃成熟了，它努着红扑扑的嘴巴，再配上一身小茸毛，那么好看那么可爱，像含羞的姑娘一样，低垂着头，微红着脸。

√ ✽石榴好大哟，红红的，咧着嘴，露出玛瑙似的颗粒，送一粒到嘴里，啊，好甜哟，那鲜红甜蜜的汁液是血，流遍了我的全身，甜透了。

√✽远远望见了好大一片梨林，梨儿似万千铜铃在摇，正在一天天黄熟，这梨儿个头大，皮细薄，肉脆，汁多，甜得腻人呢。

✽“水晶”葡萄，晶莹透明，真像是水晶雕刻出来的：“红玫瑰”葡萄，紫中带亮，活像一串串紫色的珍珠。

✽瞧，朝阳下，碧绿的树丛中，一颗颗，一串串的龙眼像一个个胖乎乎的小顽童，咧着小嘴欢笑。

√✽花生差不多有我的中指那样长，拇指那样粗，黄色的衣服上裹着芳香的泥土，像一个个黑色的娃娃歪着小嘴乐呢，真招人喜爱。

✽我来到西瓜地里一看，啊，这么多西瓜！望过去，只见一个个像篮球似的西瓜把瓜藤都遮住了。

√✽到了秋天，柑桔林中不再是满枝繁花，而是累累硕果。那圆圆的柑桔有如万千盏小灯笼，金灿灿，红彤彤，在墨绿的树叶里灼灼闪光。

✽我急忙跑过去看，原来有一个土豆长得活像一只老牛，宽厚的嘴巴，胖墩墩的身躯，尾巴藏在圆乎乎的屁股

下面，脑袋上还好像长着犄角，活灵活现，真够神气的。

✽我使劲地拔呀，拔呀，终于把萝卜拔出来了。它那又红又圆的大脑袋上，还扎着一条小辫子呢，真可爱啊！

✽瞧，那小丝瓜多好玩，身上穿着葱绿的“外衣”，像条小香肠，又像个小胡萝卜挂在瓜蔓上。

✽这一串串红彤彤的辣椒，在阳光的照耀下，远远看去，好像是一束束火把，把整个村庄装点成了一幅美丽的图画。

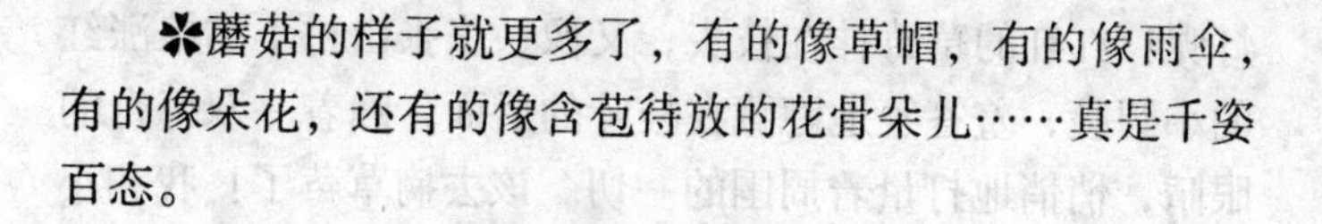

✽蘑菇的样子就更多了，有的像草帽，有的像雨伞，有的像朵花，还有的像含苞待放的花骨朵儿……真是千姿百态。

◇华彩语段

✽石榴的外表并不漂亮，但当你把它剖开了，眼前就会出现一个美丽的小世界，淡黄色的薄膜把石榴内部隔成一个个别致的“小盒”，“盒”内放着一颗颗石榴子。石榴子晶莹透亮，轻轻一咬，你就会尝到许多汁水，甜中有酸，还微微带点涩味，十分鲜美可口。正如宋朝诗人杨万里所写的“半含笑里清冰齿，忽绽吟边古锦囊，雾谷作房珠作骨，水晶为粒玉为浆”。

✽小枣长得特别快，两三个星期过后，小枣就长得像莲子那么大。这时，小枣由青绿色变成淡绿色。我们孩子见了，就会嘴馋，路过树边，顺便摘几个放进嘴里，可是没有甜味，只觉得滑溜溜的。再过半个月，枣子由淡绿色变成淡白色。这时，有点儿甜味了。可是，还不好吃。要是到了夏末的时候，那树上一串串的，沉甸甸的，全红的、半红半不红的、深红的、淡红的、裂开缝的、不裂开缝的，随便摘一个放进嘴里，都是蜜甜蜜甜的。我们家乡人枣子见得多，吃得多，所以选吃枣子的经验也丰富。不论大人还是小孩，都知道最好吃的是那深红而又不裂开缝的枣子。

✽每年四月，天上下着蒙蒙细雨，漫山遍野火红的杜鹃，五颜六色的野花，竞相开放，争奇斗艳。这时草莓也熟了。一颗颗，一串串，圆滚滚，红艳艳，仿佛是盏盏红灯呢！红红的草莓挂在枝头，又像一张张山村小姑娘涨红的小圆脸，羞答答地隐藏在枝叶的后面，睁着一双好奇的眼睛，悄悄地打量着周围的一切。该去摘草莓了！我和小伙伴好容易盼到星期六，吃过午饭我们就结伴上山了。啊，满山的草莓在微风中扭着腰肢跳舞！一阵阵浓郁的香味扑鼻而来。我们像一群小鸟似的散开了。

✽杨梅圆圆的，和桂圆一样大小，只是遍身长着小刺。等杨梅渐渐长熟，刺也渐渐软了、平了。摘一个放在嘴里，每一根刺平滑地在舌头里翻转接触，使人感到细腻而且柔软。杨梅先是淡红的，随后变成深红的，最后几乎变成黑的了。它不是真的变黑，是因为太红了。你只要轻轻咬开它，就可以看见那新鲜红嫩的果肉，嘴唇上，舌头上，同时染满了鲜红的汁水。

✽水蜜桃的颜色先是青的，渐渐泛白。到了熟透时，

皮变得白而嫩，水灵灵的透明发亮，里面的水汁像要喷出来似的。桃子先是椭圆形的，上面长满了绒毛。这绒毛十分怪，只要手摸到它，一会儿，手便会发痒。桃子渐渐的长熟，毛也褪掉了，形状也由椭圆变成圆头带尖的了。一个个像胖胖娃娃似的，红着脸，扒开树叶，俏皮地偷偷向人们笑。

✽芒果的种类很多，有象牙芒果、三年芒果、阿佤芒果和大树芒果。不论哪一种都非常可口，而以象牙芒果为最好，它果实大，有的有一公斤重，体形细长、美观，尾部肥胖，头部微小，嘴微向胸前倾勾，形状像个“大象牙齿”。它皮薄、肉厚，且细嫩多汁，味道鲜美，蜜甜清香，甜而不腻，营养丰富，是果中珍品，被誉为“果中之王”。

✽每年，周家婶婶总要送我几个大柚子，爸爸妈妈把它们摆在写字台上，我和妹妹却馋得直流口水，妹妹用铅笔刀把柚子皮割开来和我分吃。可惜的是柚子的果皮厚，果肉小，水分少，不但不怎么香甜，酸味还弄得我和妹妹直皱眉，真是中看不中吃的东西！难怪爸爸妈妈要把它们摆在写字台上了。我想，要是柚子像苹果、桔子、梨那样水分多又甜，该多好啊！

✽啊！一个个又大又圆有名的“郑州三号”绿皮西瓜立即呈现在我的眼前。大西瓜一个个安详地躺在地上。真多啊，看得我眼花缭乱，大伯走进瓜田，东拍拍，西弹弹，左瞧瞧，右看看，终于选出了一个足有十公斤重的大西瓜。大伯来到瓜棚，一边切西瓜一边乐呵呵地说：“昨天，我给首都机场送去三万斤西瓜，足足装了三大卡车，不然还有比这更大的呢!”“嚓”，瓜被切开了，薄皮，沙瓤，黑籽，真是名不虚传的“郑州三号”! 大伯递给我一块，我急忙接过来，咬了一大口，啊，好甜哪! 一股又凉又甜的西瓜汁立即流进了我的喉咙，真是惬意极了。我吃了一块又一块，鼻尖、嘴角都沾满了西瓜籽。

✽成熟的桔子跟苹果一般大小，全身有些小“疙瘩”。有的红彤彤，有的黄澄澄。把桔子剥开，一片片月牙似的桔瓣，聚在一起活像个小灯笼。你若掰下一片，咬一个洞，一股又酸又甜的桔汁便流进你的嘴里，冷冰冰的，吃下去心里好不痛快。

✽枇杷一般依照果皮和果肉颜色深浅不同，分为红沙、白沙两大类。红沙果皮橙黄色，所以古人把枇杷喻作“金丸”。如宋祁诗：“树繁碧玉叶，木叠黄金丸”，陆游诗：“难学权门堆火齐，且从公子捡金丸”等等。

✽荔枝有一件奇特的外衣，外衣是由许多细小的块状裂片镶成的，这些块状裂片好像龟甲一样，所以称它龟裂片。它的外衣一般是深红色或紫色，“绛囊”、“红星”、“珊瑚珠”就是人们因为它的外衣颜色而送它的美称。它的体形，一般是心脏形或圆形，体重不稳定，有时十多克到二十多克，有时四五十克，甚至达六十克。脱去外衣，就看到很薄的内衣，人们管它叫膜，除去膜那便是荔枝肉了，是白色的半透明的，其味甘美，有芳香，适宜生食。

✽这天，爸爸掘来不少笋，我就争着去剥。这不光因为嫩笋鲜美可口的味道吸引了我，还因为我想再研究研究

哩。我一边剥，一边把笋壳一张一张整整齐齐排在地上，接着又剥第二棵，第三棵……数一数笋壳，都在四十张左右。这使我回忆起：有一次，我在竹山仔细地数了数竹子从底到顶的节数，几乎每根竹，都是四十节左右，不同的只是竹节长短不同罢了。我请教了爸爸，才知道原来一张一张笋壳裹着的笋节就是竹节，笋长成了竹子，笋节就成了竹节了。

✲小丝瓜长出来了。瞧，那小丝瓜多好玩，身上穿着葱绿的“外衣”，像条小香肠，又像个小胡萝卜挂在瓜蔓上。盛夏到了，丝瓜的叶子长得又密又浓，也比以前大多了。坐在丝瓜架下，茂盛的叶子挡住了强烈的阳光，真凉快！再看那些丝瓜，不像以前那样娇嫩了，它们长得又粗又壮，比黄瓜还长，身上仍是翠绿翠绿的。

✲满山坡的柿子树上挂满了像灯笼一样的柿子。葡萄架下马奶子葡萄晶莹得像渗透了油，房前屋后的苹果羞红了脸。五龙河畔的万亩梨园没有忘记五龙河的哺乳之恩，让每棵梨树都结出丰硕的果实，这就是莱阳梨。莱阳梨含糖量特别高，肉质鲜嫩，甘甜如饴，清香可口，具有润肺化痰，止咳之功能。

✲马铃薯是椭圆形的，皮是土黄色的，身上长着好几个小坑坑。削掉皮，它就露出淡黄色的身体。我们烧菜吃了几个，剩下两个一直没有吃，把它们忘了。今天妈妈忽然想起它们，拿起来一看，呀！每个坑坑里都长出了小芽芽。芽芽的颜色是淡黄色的，和它的肉差不多。小芽的身体胖胖的，头尖尖的。每个小坑里长着几粒小芽，聚在一起，像一朵黄色的小荷包，小巧玲珑。

✻芹菜长在泥里，清洗干净以后露出白生生的根和绿绿的茎。一大截脆嫩的茎上，长着翠绿的叶子。它的根像龙须，叫人越看越爱看。芹菜可嫩着呢，那茎好像轻轻一碰就会断。你若不信，请随便拿一根洗净的生芹菜，轻轻一折，茎就断了，茎内便会溅出一粒粒细小透明的水珠，小水珠清清的，凉凉的，十分逗人。

二、动 物

1. 虫

◇精美词语

嗡嗡 嘤嘤 呱呱 咯咯 飞舞 扑动 蠕动 飘动
昆虫 益虫 害虫 毒虫 虫子 低鸣 吟唱 唧唧
翩翩 轻巧 灵敏 蹦跳 结网 抽丝 啾鸣

◇常用成语

彩蝶纷飞 蜻蜓点水 蚂蚁搬家 扭来扭去 蜘蛛结网
春蚕吐丝 春蛇脱皮 蟋蟀相斗 秋虫哀鸣 蚊叮虫咬
蜜蜂嗡嗡 蜜蜂采蜜 蜂飞蝶舞 蝶舞蜂喧 蝶飞翩翩
凤蝶如团 低吟细唱 振翅鸣叫 迎风飞舞 款款而飞
萤火如灯 萤光闪闪 蝉声不断 昆虫啾鸣 飞蛾扑灯

螳螂舞臂　临风飘动　穿梭飞行　忽上忽下　一缩一伸

◇绝妙句子

✽如果你使用放大镜还可以看到，蚂蚁打起架来，不像别的昆虫打不过就逃，而是咬住后紧紧不放。

✽蜻蜓那薄薄的翅膀像透明的玻璃纸，两只晶莹的大眼睛是由许多小“点”组成的。

✽这只小壁虎三角形的脑袋上，有一双黑黑的小眼睛，它的四只脚紧贴着墙，一条又细又长的尾巴靠在墙上，它还蛮苗条的呢！

✽这只螳螂一身绿色，头是三角形的，两只眼又大又灵活。它有六只脚，最厉害的是那对像刀似的前爪。螳螂那两只镶着黑点的绿翅膀，更给它增添了英武的气势。

✽不知什么时候，有几只蚯蚓在花盆的泥土里安了家，爸爸一浇水，它们就像耕耘机一样出来松土。

✽蛐蛐儿满身披着黑纱，显得那么的严肃；又像披着黑色盔甲的大将军，又显得那么勇武。

✽大青虫，这个挺直了像个螺丝钉，蠕动起来像支七节钢鞭的“庞然大物”，竟让一群小小的蚂蚁拦住了去路。

✽那只花蝴蝶的触角像两根细丝似的向外弯曲着，六只红色的小脚长在毛茸茸的身体两侧，一字排开，一伸一缩，像刚出生的婴儿在啼哭时手脚乱蹬。

√✽流萤成群地在夜空中飞翔，像星的河流、灯的长阵，流萤闪烁在林梢，忽出忽没，像树叶里藏着晶晶莹莹的蓝宝石，把夜色点缀得分外瑰丽神奇。

√✽蚕开始吐丝了。它们一个个昂着头，挺着胸，慢慢悠悠地晃来晃去，吐啊，吐啊，没完没了，好像蚕肚子里有团丝线，永远抽不完扯不断似的。

√✽蜜蜂的巢是一行一行的，排得非常整齐，每一行上有许多六角形小格，既结实又轻巧。它们在小格子里放蜜糖、花粉，喂养小宝宝。

√✽蝉是个笨头笨脑的歌唱家，别看它有一个大脑袋，一对大眼睛，扇动着一对亮晶晶细纱一样的双翅，可是，连螳螂爬到身后也不知道，却一个劲地喊："知了，知了！"

✽看那伏在白纸罩上的小青虫，头大尾小，向日葵子似的，只有半粒小麦那么大；遍身的颜色苍翠得可爱，可怜。

◇华彩语段

✽孑孓独个儿停在水中的时候，真像个逗号；两个并排时，有的像逗号；有的又像分号；它们还能整齐地排成一个省略号，真有趣！它们的尾巴一伸一卷，游得好快活，像一只只淘气的猴子在连着翻斗，可滑稽啦。

✽在秋天的夜里，到处可以听到蟋蟀叫的声音。蟋蟀是一种很好玩的小虫，它有薄薄的翅膀，颜色紫褐而光润。它有两条很肥壮的腿，所以很会跳跃；它有两枚很锐利的牙齿，和同类互斗的时候，便把它做利器。因为它好玩，所以我们小孩子，没有一个不喜欢它。夜间它在石壁下或是草丛中叫的时候，我们拿了电筒去照它，见它在洞口，用草一拨，它就跳到洞外来了。我们用手掌覆住，放在瓷盆里或是竹筒中。那时真像得了宝贝一样的快乐了。如果用草拨它，它就振动翅膀，嚁嚁嚁地叫起来。我们怕它饥饿，买了枣子桂圆去喂它；怕它受寒，夜间把它放在棉床里，全校同学，差不多都有瓷盆或竹筒养着的蟋蟀。

✽这些蝴蝶大多数是属于一个种族的，它们翅膀的背面是嫩绿色的，上面还有美丽的花纹，这使它们在停伫不动时就像是绿色的小草一样，它们翅膀的正面是金黄色的，这使它们在扑动翅翼时却又像是朵朵金色的小花。在它们密集的队伍中间，有时也飞舞着少数巨大的黑底红花身带飘带的大木蝶，仿佛是有意来作为一种点缀。

✽无意间，我发觉一条小蚯蚓已在往地里钻，便好奇地蹲了下来。只见那颇为坚硬的土地，被它一拱一拱地拱出了一个小圆洞，接着它的整个身体都钻了进去。过了一会儿，小蚯蚓又从另一个地方钻出了地面。它那暗红色的橡胶管子似的身体，正在一伸一缩，蠕蠕地向前爬动着。我跟它挪动了一个脚步，来到一棵大青菜的旁边。咦，它好像在吃什么？我仔细一看，原来是在吃一些腐烂的菜叶子。怎么？有些在它身旁的小土块，也给它吞吃了？我抓抓头，想了想，噢，这有什么好奇怪的。记得生物课上老师讲过，蚯蚓有沙囊，可以吞食一些土块，消化吸收土壤中的有机物。我刚醒悟过来，蚯蚓又开始钻洞了。

✲看到这一个个小生命的诞生，我很激动。于是，我把它们用毛笔一个个刷到鲜嫩的剪碎的桑叶上去。几天以后，小蚕长大了些，我又开始细细地观察它们的行动。小蚕爬起来可慢啦，样子有点像海参，身子一缩一伸，可有意思啦；又过了几天，许多蚕不吃也不动，如同死了一般。我很着急，早晨起来去看看它们，中午、晚上我都要去看上好几遍。后来，我才发现原来它们在蜕皮。可惜，我错过了看小蚕这次蜕皮的机会。

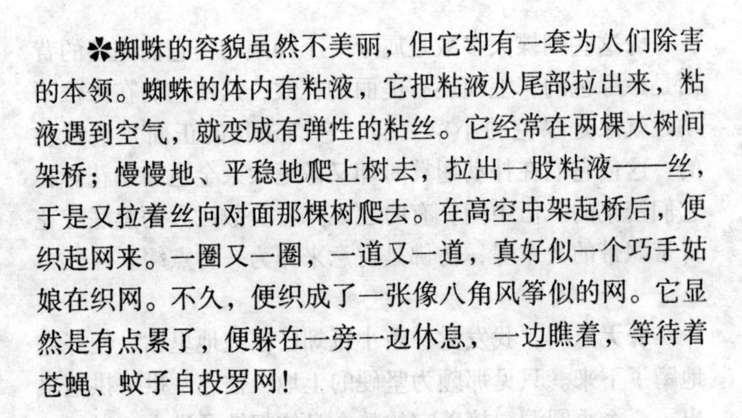

✲蜘蛛的容貌虽然不美丽，但它却有一套为人们除害的本领。蜘蛛的体内有粘液，它把粘液从尾部拉出来，粘液遇到空气，就变成有弹性的粘丝。它经常在两棵大树间架桥；慢慢地、平稳地爬上树去，拉出一股粘液——丝，于是又拉着丝向对面那棵树爬去。在高空中架起桥后，便织起网来。一圈又一圈，一道又一道，真好似一个巧手姑娘在织网。不久，便织成了一张像八角风筝似的网。它显然是有点累了，便躲在一旁一边休息，一边瞧着，等待着苍蝇、蚊子自投罗网！

✲蝉鸣不像蛙叫那样短促、跳跃，像声声鼓点，而是漫长、高亢、执著，“嘶呀……嘶”，好像二胡。因此夏季田园交响乐队中，如果说青蛙是鼓手，那么蝉便是弦乐师了。试想：炎热夏日当空，树枝纹丝不动，连鹅鸭都聚集在树阴下的时候，如果说没有这位弦乐师的高亢奏鸣，该

会使人感到多么的寂寞啊！

✽我把蜗牛放在地上，开始它一动也不动。过了好一会儿，它才开始表演，它先把头上的触角从“屋子”里伸出来探消息。然后，伸出头来，接着又伸出身子，慢慢地爬了起来。爬着爬着，一条又短又粗的尾巴从“屋子”里渐渐地伸出来。这时，我仔细地观察了蜗牛：它的头呈扁形，两只眼睛长在脸上，没有鼻子；一条短短的粗尾巴，拖在“屋子”的后面。蜗牛背着“屋子”爬行，像是在慢慢地滑动，一会儿滑到这边，一会儿滑到那边，大概是想找一个合适的地方住下来或者找点吃的吧？它爬行的时候，身子两边各有一片海绵似的肉皮在蠕动。同时分泌出一些粘液，在地上留下了两条很细很细的湿润的痕迹。这大概是蜗牛留下来的记号，要是找不到合适的地方住，就沿着这条痕迹回到原来出发的地点去睡大觉，吃甜饭……

✽炎热的夏天刚到，我家窗前就来了一只蜘蛛。我向来对蜘蛛很感兴趣，便细心地观察起来。蜘蛛大多在早晨织新网。苍蝇、蚊子想偷偷窜入我家的时候，都会撞到那又粘又结实的网上，它们拼命挣扎，想逃脱，但这是不可能的了。蜘蛛在一旁看见了，好像在想：“不要挣扎了，你们是给我送上门来的美餐。”但蜘蛛还不能立刻把它们吃掉，它从嘴里吐出一种粘液，使那些飞虫变软，然后再慢慢吃掉。

✽我们三个跑到玉米地边，打开手电筒一看，“啊呀，这么多粘虫！”每根玉米苗上都有七八条，多的有十几条。其中多数是一寸来长、带有青色花纹的四龄虫，少数是灰褐色的三龄虫。它们是粘虫里最贪婪、最凶残的家伙。此时，这些可恶的东西有的吊在叶片的下方，有的骑在叶面的上面，头挨着叶，躬着身子拼命大嚼。它们不论叶子好坏、老嫩一齐吃，转眼之间，一片玉米叶子就被吃得豁牙缺齿了。

2. 鱼

◇精美词语

青鱼 甲鱼 刀鱼 鱼头 鱼尾 鱼翅 鱼鳞 鱼鳍
对虾 龙虾 追逐 跳跃 蹦跳 摆动 蠕动 游动
金鱼 鲤鱼 草鱼 鲢鱼 边鱼 带鱼 墨鱼 鲫鱼
飞跃 潜入 沉入 浮沉 戏水 打挺

◇常用成语

鱼肥稻香 鱼鲜蟹肥 鱼死网破 鱼游虾嬉 鱼群如云
鱼游大海 鱼不离水 鱼水相连 水美鱼肥 如鱼得水
鱼跃水面 鱼龙混杂 鱼贯而入 鱼跃人欢 鱼跃鸟飞
水清无鱼 群鱼争食 浑水摸鱼 张网捕鱼 鲤鱼打挺
穿梭来往 戏嬉追逐 摇头摆尾 悠然自得 自由自在

◇绝妙句子

√✽这只青蛙，两只大眼睛像两颗晶莹透明的玻璃球，鼓得高高的，一眨一眨的，可机灵了，碧绿的身体上，布满了黑色的斑点，白白的大肚子，像是发了脾气，一鼓一鼓的。

✻娃娃鱼的这条尾巴可真不简单，它就像舵一样，能够掌握方向，又像桨，能够划水。

✻这只螃蟹的外壳除了腹部以外都是青绿色的，好像披着一件翠绿的罩衣；它的腹部是乳白色的，好像穿着一件雪白的衬衫。

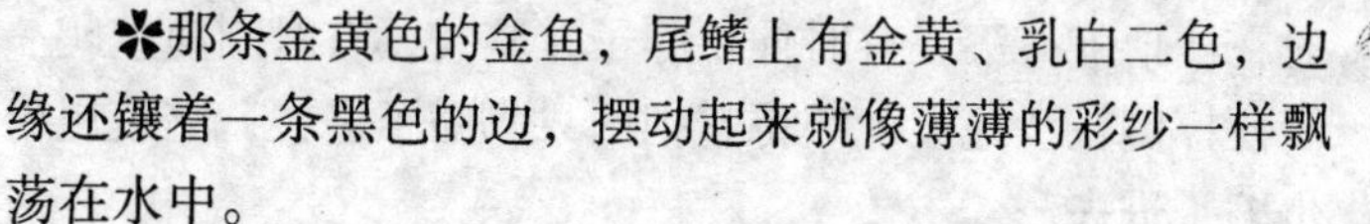

✻那条金黄色的金鱼，尾鳍上有金黄、乳白二色，边缘还镶着一条黑色的边，摆动起来就像薄薄的彩纱一样飘荡在水中。

✻只见那甲鱼吊在空中，张牙舞爪的，像在“拒捕”。龙根乐得手舞足蹈起来，一不小心，那甲鱼“啪”的一声，像个铁饼似的掉进河里，雪白的肚子朝着天，咕噜咕噜直往深水里钻。

✻我走到玻璃缸前，看着里面游动的虾，意外地发现一只虾的头上，有一块红红的斑点，阳光一照，闪闪发亮，像一块红宝石，又像一顶小红帽，真是好看极了。

✻这些小虾有一寸多长，腹部的几条小腿像小桨一样，在不停地划动。它们的尾巴像小扇子，头上的须比身子还长。透明的小眼睛在水里东瞧西望。

✻这只小乌龟穿着一件深褐色的格子“外衣”，油光闪亮，像是将军身上的铠甲。“外衣”上有十来个近似六角形的格子，很像一个棋盘。

✽母鱼游上水面，从肚子里慢慢地挤出许多像芝麻那么大的小黑球，过了两分钟，小黑球变成了像最小的小蝌蚪似的小鱼苗。

◇华彩语段

✽小乌龟可有趣呢，它摇头晃脑的，有时转圈圈，有时在沙地上打滚，有时伸长脖子转脑袋，有时刚向上爬一步便摔倒在沙地上，吓得它把两只脚缩了进去，脑袋尾巴也缩了进去。

✽小虾——也就是我现在思念的那小生灵正静静地蹲在那儿，我轻轻地走到离它只有两步远时，一只比小黑虾大得多的青壳虾，突然冲到它面前，挥舞着大螯，吹胡子瞪眼的，那意思是：你快给我滚开！没想到小黑虾身子一弓，尾巴一甩，挺着螯冲到大青虾面前。大青虾好像没料到小黑虾敢反抗，不由自主地向右一退，小黑虾乘势用力一甩尾巴，两只螯活像两支小黑剑似的刺向大青虾，夹住了大青虾触须的根部。大青虾慌了，但没有放弃抵抗，也用大螯发了疯似的狠命夹住小黑虾，双方都奋力斗着。我在一旁看呆了，但心里却在为小黑虾鼓劲、拍手。渐渐地，双方都不行了，但小黑虾依然奋力拼搏，小螯越夹越紧。大青虾终于退却了，用尽全力猛一挺，“倏”的一跃，径直向水草丛中钻去。

✽这三只乌龟都穿着一身异常坚固的“铠甲”，伸着四条粗壮的腿，威风凛凛，活像三个“大将军”。但如果

让它们“临阵”，就一个个地成了名副其实的缩头乌龟了。不要说“临阵”，就是有个人影在它们前面晃几下，也会把它们吓得只剩下龟壳——头、尾、四肢全缩了进去。过了好一会儿，它们才相继把脑袋偷偷地探出来。这时，如果再有什么风吹草动，它们便又赶紧把头缩进去，好久不愿“现身”。

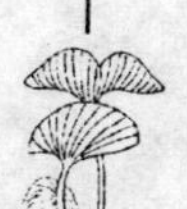

✻一天，我把水桶故意倾斜，两只小乌龟见水到了另一边，就赶忙向有水的地方爬去，争着往水里钻。可是，水不多，只能供一只小乌龟在里面游玩。于是，一场有趣的争夺开始了，大一点的乌龟仗着自己力气大，用屁股把小乌龟使劲向后推。慢慢地，小乌龟被推到了没水的地方。大一点的乌龟却爬回来懒洋洋地卧在水里了。小乌龟在没有水的地方静卧了一会儿，好像想起了什么办法似的，迅速爬到大乌龟背上，使劲地转动起身子来，对大乌龟来了个突然袭击。大乌龟受到这样的戏弄，发怒了，它的身子向上一拱，小乌龟被弹到了大乌龟的前面，大乌龟又用老一套方法把小乌龟推走了。可是，还没等大乌龟往前爬，小乌龟乘其不备，钻到了大乌龟的前面——有水的地方。看到这情景，我不禁哈哈大笑起来，小乌龟多么机灵呀！

3. 禽

◇精美词语

奋飞　嬉戏　搏击　追逐　飞鸣　夜啼　争鸣　俯冲
家禽　野禽　飞禽　飞翔　翱翔　低翔　展翅　振翅

觅食 寻食 飞扑 报晓 扇动 扑击 嬉闹 啄食
羽衣 嫩黄 麻花 花纹 艳丽 油亮 雪白 银灰

刮刮叫 油亮亮 胖乎乎 滑溜溜 圆乎乎 蓬松松
毛茸茸 呷呷叫 呱呱叫 咕咕叫 嘎嘎叫 喔喔叫

◇常用成语

引颈长鸣 昂首阔步 摇摇摆摆 呆若木鸡 追逐嬉戏
飞禽走兽 鸡飞狗跳 鸡鸭成群 鸡鸣狗叫 鸡犬相闻
拍水戏闹 鸟鸣不已 鸟语啁啾 鸟鸣四野 鸟声寂然
鸟声婉转 鹦鹉学舌 孔雀开屏 春燕呢喃 百鸟朝凤
杜鹃啼春 雄鹰展翅 雄鹰盘旋 大雁南飞

◇绝妙句子

✽小鸭子鼻孔很特别，是长在嘴上的。两只乌黑乌黑的小眼睛长在脑袋两侧，好像两颗黑宝石。

✽数不清，点不尽的小燕子在空中飞舞，放开清脆的喉咙，唱着婉转的歌儿，分别飞进各户各家。

√✽这只小鸡性情安然，饿了就唧唧地叫；吃饱了，就在院子里来回走动；累了，就卧在太阳底下睡觉，天天如此，就好像有一个标准的作息时间表！

✽毛驴就在光环中走着，四只蹄子像鼓点一般叩响，那毛茸茸的耳朵上、脊梁上，冒着热气，有银亮亮的水珠儿在闪动。

✻我家养了一只小母鸡，它全身雪白，胖得像只打足了气的皮球，所以我就叫它“小胖墩”。

✻小燕子黑又亮的羽毛像抹了油似的，白肚皮就像是穿一件白衬衣，红胸脯，黄嘴角，圆圆的眼睛不安地看着我……

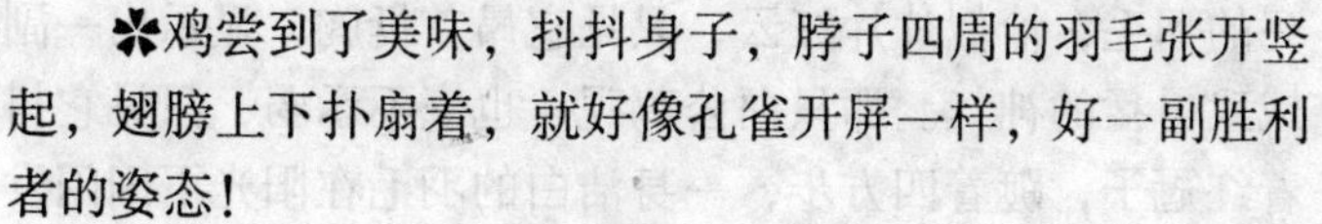

✻鸡尝到了美味，抖抖身子，脖子四周的羽毛张开竖起，翅膀上下扑扇着，就好像孔雀开屏一样，好一副胜利者的姿态！

◇华彩语段

✻鸭长大了，身子全白，头顶有一小撮黑色毛，好像戴着一顶小帽，眼边生有红色的皮，好像戴着一副眼镜，神气极了。我摘菜的时候，大的鸭总在我身边，不时地叫几声，好像乞求我给它一点食，我也挺乐意扔一点给它。可那些馋嘴的鸡看不过眼，就来抢吃，那些鸡看见鸭吃得很快，它们就想学鸭那样快吃。可鸡的嘴这么尖，哪里快得过鸭呢。于是它们“死鸡撑饭盖”——乱啄菜叶，鸡与鸭争食，鸭竟然任鸡抢去，而且始终那样悠然神气。我不禁猜测：难道鸭也有礼让别人的道德吗？

✻只见许多鸡蛋不住地晃动，有的蛋壳里的小鸡娃用嘴一个劲地啄呀啄，还发出吱吱的欢叫声。有的蛋壳突然一下子破裂了，鸡娃一跌一撞地挤出来。小鸡娃刚出壳的时候浑身上下湿漉漉的。花母鸡十分慈爱地用嘴轻轻地吻吻这个，亲亲那个，小心翼翼地给小宝宝整理羽毛。慢慢

地，小鸡娃身上的羽毛干了，一个个毛茸茸，圆滚滚，就像一团团小绒球。小鸡娃长着黄黄的尖嘴，细细的短腿，小小的翅膀，有淡青色的，乳白色的，嫩黄色的，可爱极了，好玩极了。

✿大清早，我们就请来了好朋友宾宾当裁判，我俩各自把公鸡带到比赛场——一块空地上，你瞧，我的那只大红公鸡多威武、漂亮、红红的冠子，大大的眼睛，红中透亮的羽毛，恰似片片红云，只见它昂首挺胸，显示出一副威武勇猛的神气。那只白公鸡呢，也毫不示弱，只见它抖着红冠子，踱着四方步，一身洁白的羽毛在阳光下闪闪发亮，宛如一位端庄、稳健的白马王子，此时，它也是一副跃跃欲试的架势。

✿我正在奇怪，只见母鸡的翅膀架起来了。脖子伸出来了，鸡冠也涨红了。它睁大了眼睛，两脚半站半蹲，整个身子前高后低，原来叉开的翅膀又夹紧了，看上去很吃力，就在这一眨眼间，老母鸡后半身往下一坠，一个滚圆的大鸡蛋就落在鸡窝里了。接着它用爪子把蛋拨到肚子底下掩护好，生怕谁抢去似的。它蹲了一会儿觉得平安无事，才轻轻地离开鸡窝，“咯咯咯，咯大，咯大”地叫，好像在说：“我下了一个蛋，快来收我的蛋吧！”这时，我迎面跑上去，从窝里拿出蛋，一看，呀，蛋这么大呀！我用双手捧着，在脸上挨了一下，又光滑又暖和。

✿小母鸡的鸡冠像刚刚开放的鸡冠花。豆大的眼睛边上有一圈红色的花纹。灰色的小嘴尖尖的，胖胖的身子，走起路来是一晃一晃的。小母鸡披着一件绒袍，绒袍上绣

着黑色的花纹。短短的尾巴向上翘着。它两条细腿上有许多细小的鳞片，鳞片的颜色有深有浅，形成了天然的花纹。它的腿落地时，四趾撑开；抬起时，就卷成一团。

4．兽

◇精美词语

奔驰　追逐　飞奔　疾驰　吼叫　怒吼　咆哮　嘶鸣
长啸　汪汪　哞哞　咩咩　咪咪　喵喵　奔腾　飞跃
野兽　猛兽　兽爪　兽毛　家畜　凶恶　凶悍　凶猛
跳跃　逃窜

◇常用成语

群马驰骋　快马加鞭　人畜两旺　六畜兴旺　膘肥体壮
牛肥马壮　一马当先　高大雄健　瘦骨嶙峋　矫健英俊
马不停蹄　马蹄声声　马嘶驴叫　骏马飞奔　万马奔腾
初生牛犊　牛羊成群　老牛舐犊　仰颈长啸　腾跃撒欢
虎尾一扫　虎从风势　虎心熊胆　龙腾虎跃　老马识途
猫捉老鼠　饿狼扑羊　骏马飞驰　猛虎下山　驼铃丁当
温顺听话　虎啸狼嚎　虎视眈眈　虎吼狼嚎　虎啸龙吟
兔走鸟飞　群猴嬉戏　龙争虎斗　凶悍异常　珍禽异兽
往来嬉戏　张牙舞爪　东张西望　甩鼻摆尾　摇头晃脑

◇绝妙句子

✽猫的嘴巴像个小月牙，里面长着两排锋利的牙齿，就像刚磨过的尖刀，一口就能把老鼠咬死，它的胡子非常硬，像钢针一样，还能量出洞口的尺寸。

✽这只小猫长着一对绿色的大眼睛，长长的胡须，穿着一身黄格子黑条条的衣服，显出一股淘气相，真逗人喜爱！

✽这只波斯猫圆圆的脑袋上，竖着一对小耳朵。天生的一双鸳鸯眼，一只蓝，一只黄，似两颗晶莹的宝石，闪闪发光。它那微红的鼻子下有一张“人”字形小嘴，棕色的胡须又硬又长，向两边伸展。

✽“小咪咪”的眼睛里闪着锐利的绿光，像一支离弦的箭一样扑向那只老鼠，接着传来一阵老鼠“唧唧”的惨叫声。

◇华彩语段

✽去年，表姐送给爷爷家一只小山羊。它一身雪白的绒毛，显得干净利索；四条腿粗壮有力，小小的蹄子分成两瓣，每瓣上都穿着一只“小皮鞋”，别看它小，可跑起来谁也比不上它呢。小山羊的尾巴不长，常向上翘着，只要一见到熟人，它就一边摇着小尾巴，一边咩咩地叫着，热情地向你跑来；它头顶的两侧，有一副机敏的耳朵；每听到一点奇怪的声音，耳朵就会立刻竖起来，耳孔向着发出声音的方向；嘴巴下有几根又稀又短的胡子，非常惹人喜爱。

✽猫有一双明亮的眼睛，即使在伸手不见五指的黑夜

里，也能看清东西，再狡猾的老鼠也逃不过猫的眼睛。它的耳朵很灵活，能够随意转向声音的来处，只要有声音，哪怕是极细小的声音，它也能及时辨出。猫的脚趾上有锋利的爪，这就是猫能在平地上疾走如飞，还能沿壁上房、爬树跳墙、追捕老鼠的重要原因。猫的脚上有一块软而厚的肉垫儿，因而走路时没有声响，可以悄悄地、出其不意地逮住老鼠。猫的胡须很粗，感受灵敏，能测量出各种洞口的大小。

三、实　物

1. 文　具

◇精美词语

端砚　龙砚　紫砚　造型　实用　精致　古朴　大方
宣纸　图案　徽墨　狼毫　羊毫　紫毫　斗笔　钢笔
鲜艳　新鲜　别致

竹帘纸　毛边纸　青田砚

◇常用成语

精巧可爱　惟妙惟肖　惹人喜爱　简朴实用　抒写酣畅

浓墨喷香　含墨颇多　长劲圆锐　毛笔之锋　圆锐藏锋
光彩夺目　清晰明快　五颜六色　图案新颖　小巧玲珑
旋转自如　书写流利　结实耐用　种类繁多　粗细均匀
挥写自如　挥写流畅　墨汁浓细　自然流畅　笔墨纸砚

◇绝妙句子

✽这支钢笔如果放在阳光下，笔身立刻变得透明了，好像一位小姑娘，穿着一件薄薄的轻纱紫裙，十分讨人喜爱。

✽我有一只小钢笔，它头戴着金黄的帽子，身穿红艳艳的外衣，尖尖的小嘴常流“口水”，能写会算，它对我的帮助真大呀！

✽小小地球仪，把世界七大洲、四大洋全部展现在我眼前。看着地球仪上的海洋、陆地，就像亲身游览世界一样。

◇华彩语段

✽我珍藏着一个极普通的书包。它的颜色差不多已经褪尽将要变成白色了，它的身上还打着补丁。即使是这样，我还是十分珍惜它。它脏了，我把它认认真真地洗干净，它破了，我把它一针一针地缝补好。我深深地知道，这个破旧的书包，蕴藏着母亲对我深厚的爱。

✽文具盒不光外表美丽，打开看看，居住在它里面的成员也不少：有活泼可爱的橡皮，有性格爽直的钢笔，有

沉默寡言的直尺，有锋利的小刀，有散发着清香的香水铅笔。虽然各个成员的性格不同，可是相处得挺和睦。

✻我最喜欢的是语文课本，别看它只是薄薄的一本，里面的知识可多着呢。它带领我从东到西，从南到北，从高山到平原，从江河到大海到处游览。它带领我来到长江大桥，看到一列火车鸣着汽笛从桥上呼啸而过；一叶叶扁舟在波浪滚滚的江面上行驶；大桥像一条钢铁飞龙卧在江上，在明媚的阳光下显得十分壮丽。我想：工人叔叔的本领真大啊！语文课本带着我坐上轮船，轮船驶进了大海。我一眼望见辽阔的大海，碧绿的海水，海鸥在天空中飞翔。我坐上潜水艇进入海底，看到各种各样的鱼，在水中快活地游来游去。五光十色的珊瑚，有的像鹿角，有的像扇面，有的像菊花，有的像树枝，美丽极了！语文课本又把我带到重庆红岩，带进关押小萝卜头的监狱。我看到大脑袋的小萝卜头，穿着妈妈给他改小的囚衣，正用小石子在牢房的地上写着、算着，他多用功啊！语文课本又把我带进幸福的校园……；带到首都天安门城楼……语文课本使我获得了许多知识，我爱我的语文课本。

2. 生活用品

◇精美词语

新颖　美观　实用　耐用　质地　形状　色泽　明亮

整洁　陈旧　精美　精巧　大方　素雅

◇常用成语

形状奇特 整整齐齐 构思新巧 蜚声中外 典雅素净
晶莹剔透 银光耀眼 密密麻麻 纵横交错 庄重精巧
式样新颖 小巧玲珑 精巧别致 巧夺天工 别具匠心
雅致大方 经久耐用 色调柔和

◇绝妙句子

✽我的小闹钟是浅蓝色的外壳，银白色的支架，圆形的钟盘上罩着一块透明的玻璃，造型美观精巧。

√✽台灯座上，一只孔雀已经展开了五彩斑斓的大尾巴，另一只头顶金黄的翎子，像戴着一顶皇冠，站在那里四处张望，好像正等待适当的时机展示自己的美姿。

✽窗外，一阵风吹过，跳动的火苗闪了几下，蜡烛油像一串断了线的珠子流下来。

✽蜡烛燃烧时，蜡油滴滴，火苗闪闪，无声无息地把光明献给人们，直到它生命的最后一息。

◇华彩语段

✽回到家里，我赶忙拿出小闹钟仔细端详起来。小闹钟可真漂亮！六角形的钟面上，有一层又明又亮的薄玻璃、玻璃里面是一个漆黑的钟盘，钟盘上面镶着十二个金光闪闪的阿拉伯数字，两个雪白的指针一大一小，形状像两个被拉长的葫芦，再配上个红色的小秒针，真是美丽极了！钟的外壳是不锈钢做成的。钟的顶端立着两只不锈钢

做的小花鸡，随着秒针的走动，它们有节奏地互相点头，好像在问好。钟座是一个不锈钢做的圆盘，它的右下端有一个小金球支撑着；它的左下端有一个小圆柱支撑着。这座小闹钟真漂亮，我把它擦得干干净净的，摆在我床头的小写字台上。

✽我高兴地接过小闹钟，仔细地端详起来。这只钟是长方形的，正面是西湖"柳浪闻莺"全景图。画面绝大部分是美丽的西湖，湖水平静得像一面镜子，画面的一侧是一座南宋时期建造的花园，园里有座柳浪桥，湖边种着许多柳树。看着画面，我忽然明白了"柳浪闻莺"的含义，你看，轻风吹过，柳条迎风摇摆，那不就像绿色的浪潮一样吗？那秒针"嘀嗒，嘀嗒"的声响，不又仿佛黄莺在树上婉转地唱着歌吗？

3. 玩　具

◇精美词语

可爱　精巧　漂亮　柔软　洁白　神气　逼真　鲜艳

胖乎乎　毛茸茸　圆滚滚　水灵灵　红扑扑

◇常用成语

回味无穷　五彩缤纷　变化多端　爱不释手　乌黑发亮
闪闪发光　炯炯有神　晶莹剔透　小巧玲珑　花花绿绿

一尘不染	洁白无瑕	姿态迷人	振翅欲飞	朴素大方
精雕细刻	精巧细密	造型生动	构思新颖	别出心裁
别具一格	匠心独具	画图逼真	工笔细描	身手不凡
方方正正	弯弯曲曲	朝夕相处	朝夕相伴	妙不可言

◇绝妙句子

✽小瓷鹅全身的羽毛洁白无瑕，像一层薄雪覆盖在身上，这些色彩把小瓷鹅装扮得十分美丽。

✽小洋娃娃头发金黄金黄的，一直披到肩上。红扑扑的脸，两条弯弯的眉毛下衬着一双又黑又亮的大眼睛，睫毛又细又长，真是可爱极了。

✽我心爱的玩具——小汽车，身子是红色的，太阳一照，闪闪发光；四个黑色的轮子，就像四只健壮的脚，能自动往前行驶。

✽这个可爱的小娃娃有一头乌黑的“青丝”，被巧手的玩具工人精心地梳成一条条长长的辫子盘在头上。

◇华彩语段

✽这是一只用塑料薄膜做成的梅花鹿，看上去非常鲜艳。它的鹿角像两根树枝插在脑袋上。一双又黑又大的圆眼睛一眨不眨地盯着前方，仿佛正在看着什么。耳朵歪斜着，仿佛在倾听着周围的动静。一张小小的嘴巴微微张开，好像要和我说话。梅花鹿的背上印满了白黑带灰的斑纹，美丽极了。它的四条细长的腿稳稳地站着。它还有一

条短短的尾巴哩。我非常喜欢这只可爱的梅花鹿，常常与它逗乐。我把它的后腿一捏，它就会吱吱地叫起来，好像在为我唱歌。这时，我有说不出的高兴。

✲西洋镜是爸爸从国外给我带回的礼物。我刚拿到手的时候，还有些看不起它。它的形状像普通的玩具望远镜，外壳是淡咖啡色的，所不同的是它有一个可以装镜片的小槽和一个黑色按钮、揿一下按钮，便可以使景色转动，换一个景致。别看它外形那么简单，通过它的两个观察孔，眼前却奇妙地展现出一幅幅彩色的、立体的图像，让人仿佛身临其境。那种奇异的感觉真是难以用语言来表达。

四、建　筑　物

1. 故居、博物馆、陵墓

◇精美词语

书房　卧室　斗室　字画　石器　铁器　陶器　陈列
展览　古老　坐落　瞻仰　幽静　古朴　建造　修建
官邸　公馆　私邸　宅院　茅舍　古董　文物　书斋
修缮　碑文　墓碑　墓志　陵墓　陵寝　山陵　墓穴

◇常用成语

朴素大方　朴素淡雅　幽雅美丽　历史悠久　规模宏伟
庄严肃穆　杂草丛生　保存完整　环境清幽　墙高院深
三合院儿　四合院儿　古色古香　古朴典雅　深宅大院
庭院深幽　布置大体　文化遗产　栩栩如生　气势磅礴

◇绝妙句子

✽卧室的右墙角拦着一条彩带，墙上的文字说明莫扎特小时候睡的摇篮就放在这里，可惜摇篮已经不在了。

√✽房屋深深地藏在很大的花园里面，一进大门，看不见住宅的影子，只有一条长长的幽静的林阴路，向远处伸展开去。

√✽屋子的周围是一片盛开着的花木，丁香花、紫罗兰、玫瑰花、郁金香开得锦绣般的灿烂鲜艳，把这所古老的住宅，衬托得更加幽雅、美丽。

◇华彩语段

✽一进门，我的天哪！只见大厅正中摆着一具巨大的古生物骨骼模型。它可真古怪，小而扁的头骨，细长的颈骨足有八九米长；身体庞大，它的大腿骨有我的腰粗。我们看后都惊呆了。这是什么动物呢？后来讲解员告诉我们，这是动物王国中的巨人——河川马门溪恐龙的骨骼模型。它显示出了中生代恐龙生活的情况。哦，原来是这么一回事。

✽人民大会堂多么庄严和壮丽啊！它真是当代中国雄伟的建筑物了。我曾经围绕着它步行一周，需时达十五分钟。每次走进这座雄伟美丽的巨大建筑物时，那巍然耸立的廊柱，那光可鉴人的大理石地面，那华丽美观的红色绒地毯，那光辉璀璨、花团锦簇似的华灯，总之，无论是它的整体部分还是它的各个局部，都能引起人们一种壮美之感，而且这种壮美的感受还是历久常新的。每次走进去时我都要重温一遍。

2. 宫殿、园林、寺庙

◇精美词语

宫墙　行宫　宫阙　大殿　殿堂　庄园　园圃　御苑
花坛　假山　幽静　秀美　别致　奇特　玲珑　阁堂
故宫　东宫　西宫　冷宫　皇宫　宫廷　朝廷　宫殿
寺院　庙宇　佛寺　山寺　佛院　禅院　古庙　佛堂
古刹　宝殿　僧舍　文庙　名刹

◇常用成语

宫墙高筑　殿宇轩昂　金銮宝殿　雍容华贵　玲珑奇巧
殿檐斗拱　描龙绣凤　白玉石栏　气魄宏大　举世闻名
三宫六院　雕梁画栋　金碧辉煌　宫门紧闭　富丽堂皇
青松翠柏　景色宜人　绿树环抱　池馆水榭　布局巧妙
满面笑容　慈眉善目　大雄宝殿　鎏金铜瓦　丈二金刚

古朴清雅　小桥流水　园林静雅　曲径通幽　风光如画
香气袭人　烟雾弥漫　宝幡法器　古色古香　巧夺天工
荒山古寺　破庙旧寺　佛塔高耸　木鱼声声　泥塑木雕
古刹钟声　清规戒律　曲径幽深　寺院荒废　光怪陆离

◇绝妙句子

✽北京有一座城中之城，这就是举世闻名的紫禁城，现在人们叫它故宫。

✓✽紫禁城是明、清两代皇帝住的地方，是我国现存的最大最完整的古代宫殿建筑群，有五百多年的历史。

✽这里不仅宽阔，而且还很华丽，真可谓是雕梁画栋，金碧辉煌。

◇华彩语段

✽“深宫”在故宫的最里面，是太后、妃子们起居的地方。屋里阳光充足，并有华贵的摆设，窗上都摆着镶满钻石的各式钟表。每间屋里都有一张华丽的床，床上的被褥叠得整整齐齐；桌子上还有一支白色的蜡烛，蜡烛上刻着一条张牙舞爪的龙。屋内都是按以前的原样摆设的。

✽走进大殿，正中是一个约两米高的朱漆方台，上面安放着金漆雕龙宝座，背后是雕龙围屏，方台两旁有六根高大的蟠龙金柱，每根大柱上盘绕着一条矫健的金龙，仰望殿顶，中央藻井上有一条巨大的雕金蟠龙，从龙口里垂下一颗银白色的大圆珠，周围环绕着六颗小珠，龙头，宝珠正对着下面的金銮宝座，梁材间彩画绚艳悦目，红黄两

色贴金龙纹图案，有双龙戏珠，单龙飞舞；有行龙、坐龙、飞龙、降龙，多姿多态，龙的周围还衬着流云火焰。

3．桥、长城

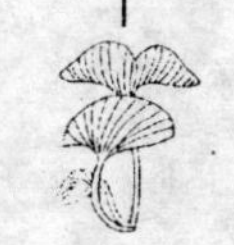

◇精美词语

吊桥　桥梁　拱桥　天桥　正桥　引桥　大桥　木桥
竹桥　铁桥　浮桥　桥墩　长城　卧龙　长龙　彩虹

立交桥　公路桥　铁路桥　高架桥　石拱桥

◇常用成语

造型美观　巨龙横卧　一道彩虹　美丽壮观　气势雄伟
天桥横空　蜿蜒盘旋　凌空腾起　摇摇欲坠　设计新颖

◇绝妙句子

✱原来满身灰尘的大桥，现在被雨水一冲洗，显得干净、清爽，比原来美多了，像一幅刚画好的彩色图画。

✱我看到湘江大桥，像一条巨龙飞越大江，大江上游出现一个像船一样的火红的陆洲。

✱浮桥是灵活的，水涨桥升，水落桥降。水大，桥身可以拉长，水小，桥身可以缩短。

✻在这河的上游，有一道摇摇欲坠的木桥跨过这条小河。

✻我们来到龙江大桥，桥上人来人往，热闹极了，汽车一辆接着一辆，像一条长龙在桥上爬行。

◇华彩语段

✻清晨，我来到南京长江大桥。今天的天气格外好，万里碧空飘着朵朵白云。大桥在明媚的阳光下，显得十分壮丽。波涛滚滚的江水中，九个巨大的桥墩稳稳地托住桥身。正桥连接着二十二孔引桥，仿佛一条钢铁巨龙卧在大江上面。大桥分两层。底下一层是火车道，铺着双轨；上面一层是公路；公路两旁是人行道。宽阔的马路上，行人车辆穿梭似的来来往往。

✻建国门立交桥工程规模大，设计新颖，造型美观，宛如由五条彩带交织而成，使人看了赏心悦目。桥体的侧壁呈淡雅的浅绿色，栏杆是乳白色的。在环状引桥内侧，矗立着四根十五米高的电杆，每根杆顶安装着一组巨大的伞状华灯，那淡蓝色的灯罩和蔚蓝色的天空互相辉映，显得非常和谐。华灯下是翠绿的草坪和五颜六色的花圃，它们把这座巨大的立交桥点缀得分外壮丽。入夜，高压钠灯就射出柔和的黄色的光辉，整个大桥就如同披上一层金纱。